상위권 ⋯⋯⋯⋯ 연산 학습지

응용 연산

E1
초5 ~ 초6

분수의 덧셈과 뺄셈

Creative to Math

씨투엠

응용연산 : 상위권으로 가는 문제해결 연산 학습지

요즘 아이들은 초등학교 입학 전에 연산 문제집 한 권 정도는 풀어본 경험이 있습니다. 어릴 때부터 연산 문제를 많이 풀었기 때문에 아이들은 아직 학교에서 배우지 않은 계산 문제를 슥슥 풀어서 부모님들을 흐뭇하게 만들기도 합니다. 그런데 아이들의 연산 능력은 날로 높아지지만 수학 실력은 과거에 비해 그다지 늘지 않은 것 같습니다. 사실 진짜 수학 실력은 연산 문제나 사고력 수학 문제를 주로 푸는 초등 저학년 때는 잘 드러나지 않습니다. 응용 문제를 본격적으로 풀기 시작하는 초등 3, 4학년이 되어서야 아이의 수학 실력을 판별할 수 있습니다.

초등 수학에서 연산이 가장 중요한 것은 부정할 수 없는 사실입니다. 중학생, 고등학생이 되어서 부족한 연산 능력을 키우는 것은 거의 불가능합니다. 이러한 연산의 특수성 때문에 아이들은 어린 나이부터 연산을 반복적으로 연습하여 실력을 키우려고 합니다. 이렇게 열심히 연산을 공부하는데도 왜 어떤 아이들은 수학 문제를 잘 풀지 못하는 것일까요? 그 이유는 현재 연산 학습의 목적이 단지 '계산을 잘 하는 것'이 되어버렸기 때문입니다. 연산은 연산 자체가 목적이 될 수 없으며 수학의 진짜 목표인 문제를 잘 풀기 위한 수단으로 연산을 학습해야 합니다.

과거 초등 수학 교과서의 연산 단원은 ① 원리와 연습 ② 문장제 활용의 단순한 구성이었습니다만 요즘의 교과서는 많이 달라졌습니다. 원리와 연습은 그대로이거나 조금 줄었지만 연산을 응용하는 방식은 좀 더 다양해졌습니다. 계산 능력의 향상만을 꾀하는 것이 아니라 여러 가지 퍼즐이나 수학적 상황 등을 해결할 수 있는 '응용력'에 초점을 맞추고 있다는 것을 보여주는 변화입니다. 따라서 저희는 연산 학습지도 원리나 연습 위주에서 벗어나 실제 문제를 해결할 수 있는 능력에 포인트를 맞추어야 한다고 생각합니다.

'연산은 잘 하는데 수학 문제는 왜 못 풀까요?'에 대한 대답이자 대안으로 저희는 「응용연산」이라는 새로운 컨셉의 연산 학습지를 만들었습니다. 연산 원리를 이해하고 연습하는 것에 그치지 않고, 익힌 것을 활용하는 방법을 바로 보여줄 수 있어야 아이들이 수학 문제에 연산을 효과적으로 적용할 수 있습니다. 연습은 꼭 필요한 만큼만 하고, 더 중요한 응용 문제에 바로 도전함으로써 연산과 문제 해결이 단절되지 않게 하는 것이 「응용연산」에서 기대하는 가장 큰 목표입니다.

「응용연산」을 통해 아이들이 왜 연산을 해야 하는지 스스로 느낄 수 있을 것이라 자신합니다. 이제 연산은 '원리'나 '연습'이 아닌 스스로 문제를 해결할 수 있는 '응용력'입니다.

응용연산의 구성과 특징

- 매일 부담없이 4쪽씩 연산 학습
- 매주 4일간 단계별 연산 학습과 응용 문제를 통한 연산 실력 확인
- 매주 1일 형성평가로 테스트 및 복습

주차별 구성

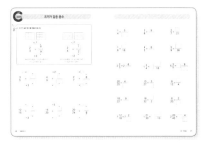

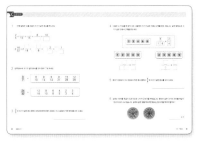

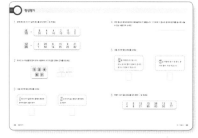

원리연산
대표 문제를 통해 학습하는 매일 새로운 단계별 연산 학습

응용연산
기본 문제와 응용 문제를 통한 응용력과 문제해결력 증진

형성평가
가장 중요한 유형을 다시 한번 복습하며 주차 학습 마무리

1주차	1일	2일	3일	4일	5일
	6쪽 ~ 9쪽	10쪽 ~ 13쪽	14쪽 ~ 17쪽	18쪽 ~21쪽	22쪽 ~ 24쪽

2주차	1일	2일	3일	4일	5일
	26쪽 ~ 29쪽	30쪽 ~ 33쪽	34쪽 ~ 37쪽	38쪽 ~ 41쪽	42쪽 ~ 44쪽

3주차	1일	2일	3일	4일	5일
	46쪽 ~ 49쪽	50쪽 ~ 53쪽	54쪽 ~ 57쪽	58쪽 ~61쪽	62쪽 ~ 64쪽

4주차	1일	2일	3일	4일	5일
	66쪽 ~ 69쪽	70쪽 ~ 73쪽	74쪽 ~ 77쪽	78쪽 ~81쪽	82쪽 ~ 84쪽

정답 및 해설

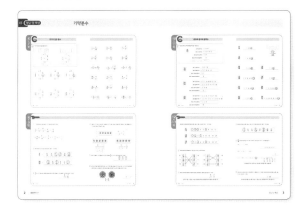

문제와 답을 한눈에 볼 수 있습니다.

이 책의
차례

1주차

기약분수

약분을 알아보고 기약분수로 나타내기

크기가 같은 분수

개념
원리

크기가 같은 분수를 만들어 봅시다.

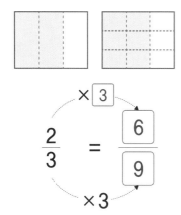

$$\frac{2}{3} = \frac{6}{9}$$

×3
×3

분모와 분자에 0이 아닌 같은 수를 곱하면
크기가 같은 분수가 됩니다.

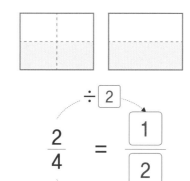

$$\frac{2}{4} = \frac{1}{2}$$

÷2
÷2

분모와 분자를 0이 아닌 같은 수로 나누면
크기가 같은 분수가 됩니다.

×□

$$\frac{3}{5} = \frac{\boxed{}}{\boxed{}}$$

×3

×2

$$\frac{4}{9} = \frac{\boxed{}}{\boxed{}}$$

×□

×□

$$\frac{2}{7} = \frac{8}{\boxed{}}$$

×□

÷□

$$\frac{12}{15} = \frac{\boxed{}}{\boxed{}}$$

÷3

÷5

$$\frac{15}{20} = \frac{\boxed{}}{\boxed{}}$$

÷□

÷□

$$\frac{20}{24} = \frac{\boxed{}}{6}$$

÷□

$$\frac{1}{4} = \frac{5}{\boxed{}}$$

$$\frac{3}{8} = \frac{9}{\boxed{}}$$

$$\frac{2}{7} = \frac{\boxed{}}{21}$$

$$\frac{1}{6} = \frac{\boxed{}}{18}$$

$$\frac{4}{5} = \frac{8}{\boxed{}}$$

$$\frac{5}{9} = \frac{\boxed{}}{36}$$

$$2\frac{2}{3} = 2\frac{8}{\boxed{}}$$

$$1\frac{3}{4} = \boxed{}\frac{\boxed{}}{16}$$

$$5\frac{3}{5} = \boxed{}\frac{9}{\boxed{}}$$

$$\frac{20}{25} = \frac{4}{\boxed{}}$$

$$\frac{15}{27} = \frac{5}{\boxed{}}$$

$$\frac{9}{12} = \frac{\boxed{}}{4}$$

$$\frac{18}{22} = \frac{9}{\boxed{}}$$

$$\frac{16}{32} = \frac{\boxed{}}{2}$$

$$\frac{8}{20} = \frac{2}{\boxed{}}$$

$$7\frac{12}{18} = 7\frac{2}{\boxed{}}$$

$$1\frac{21}{30} = \boxed{}\frac{\boxed{}}{10}$$

$$2\frac{20}{45} = \boxed{}\frac{4}{\boxed{}}$$

1 ☐ 안에 알맞은 수를 써넣어 크기가 같은 분수를 만드세요.

$$\frac{2}{5} = \frac{\boxed{}}{10} = \frac{\boxed{}}{15} = \frac{8}{\boxed{}} = \frac{10}{\boxed{}}$$

$$2\frac{16}{32} = 2\frac{\boxed{}}{16} = \boxed{}\frac{\boxed{}}{8} = \boxed{}\frac{2}{\boxed{}} = \boxed{}\frac{1}{\boxed{}}$$

2 왼쪽 분수와 크기가 같은 분수를 모두 찾아 ◯표 하세요.

$\frac{3}{7}$ ➡ $\frac{6}{10}$ $\frac{9}{14}$ $\frac{6}{14}$ $\frac{9}{21}$ $\frac{15}{28}$ $\frac{12}{28}$

$\frac{24}{32}$ ➡ $\frac{12}{16}$ $\frac{8}{10}$ $\frac{6}{8}$ $\frac{4}{5}$ $\frac{2}{3}$ $\frac{3}{4}$

3 $\frac{3}{5}$과 크기가 같은 분수 중에서 분모와 분자의 합이 20보다 크고 40보다 작은 분수를 모두 쓰세요.

4 다음은 수 카드를 한 장씩 모두 사용하여 크기가 같은 진분수 2개를 만든 것입니다. 같은 방법으로 크기가 같은 진분수 2개를 만드세요.

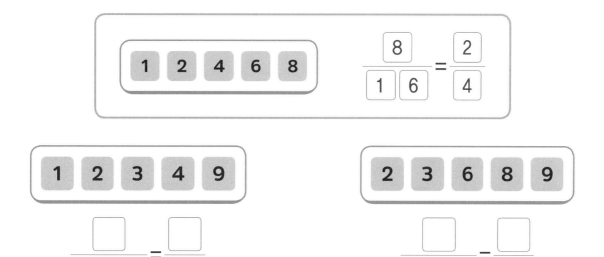

5 분모가 30보다 크고 50보다 작은 분수 중에서 $\dfrac{5}{6}$ 와 크기가 같은 분수를 모두 쓰세요.

_____

6 승호는 피자를 똑같이 5조각으로 나누어 2조각을 먹었습니다. 종수는 같은 크기의 피자를 똑같이 15조각으로 나누었습니다. 승호와 같은 양을 먹으려면 종수는 몇 조각을 먹어야 할까요?

 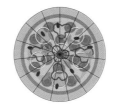

조각

_____

분모와 분자의 공약수

개념
원리

분모, 분자의 공약수와 최대공약수를 구해 봅시다.

$\dfrac{8}{12}$

분자 **8**의 약수: 1, 2, 4, 8

분모 **12**의 약수: 1, 2, 3, 4, 6, 12

분모, 분자의 공약수: 1, 2, 4

분모, 분자의 최대공약수: 4

분모와 분자의 공약수는 분모, 분자를 동시에 나눌 수 있습니다.
분모와 분자의 최대공약수는 공약수 중 가장 큰 수입니다.

$\dfrac{15}{18}$

분자 **15**의 약수: _____

분모 **18**의 약수: _____

분모, 분자의 공약수: _____

분모, 분자의 최대공약수: _____

$\dfrac{24}{30}$

분자 **24**의 약수: _____

분모 **30**의 약수: _____

분모, 분자의 공약수: _____

분모, 분자의 최대공약수: _____

$\dfrac{42}{90}$

분자 **42**의 약수: _____

분모 **90**의 약수: _____

분모, 분자의 공약수: _____

분모, 분자의 최대공약수: _____

$\dfrac{12}{18}$ 1, 2, 3, ⑥

분모와 분자의 공약수를 구하고
최대공약수에 ◯표 합니다.

$\dfrac{15}{45}$

$\dfrac{30}{48}$

$\dfrac{16}{20}$

$\dfrac{12}{36}$

$\dfrac{18}{27}$

$\dfrac{32}{48}$

$\dfrac{36}{54}$

$\dfrac{42}{90}$

$\dfrac{48}{72}$

1 왼쪽 분수의 분모와 분자를 동시에 나눌 수 있는 수를 모두 찾아 ◯표 하세요.

$\frac{6}{12}$ ...... | 1   2   3   4   5   6   8   10   12

$\frac{16}{20}$ ...... | 1   2   3   4   5   8   10   16   20

$\frac{18}{27}$ ...... | 1   2   3   4   6   9   15   18   27

2 분모와 분자의 최대공약수가 같은 분수끼리 선으로 이으세요.

$\frac{27}{36}$ $\frac{32}{48}$ $\frac{14}{35}$ $\frac{54}{72}$

$\frac{55}{99}$ $\frac{33}{77}$ $\frac{18}{36}$ $\frac{42}{49}$

$\frac{16}{80}$ $\frac{72}{81}$ $\frac{15}{30}$ $\frac{45}{60}$

3 분모, 분자의 최대공약수가 6이고 분모, 분자의 합이 30인 진분수를 모두 쓰세요.

4 분모와 분자를 동시에 나눌 수 있는 수가 **1**뿐인 분수를 모두 찾아 〇표 하세요.

$$\frac{2}{9} \qquad \frac{3}{12} \qquad \frac{4}{10} \qquad \frac{9}{19} \qquad \frac{15}{27} \qquad \frac{18}{25} \qquad \frac{20}{36} \qquad \frac{15}{20}$$

5 $\frac{24}{36}$ 의 분모와 분자를 어떤 수로 나누었더니 분모, 분자가 모두 나누어떨어집니다.

어떤 수를 모두 구하세요.

_____

어떤 수 중 가장 큰 수를 구하세요.

_____

1보다 큰 어떤 수로 분모, 분자를 나누어 $\frac{24}{36}$ 와 크기가 같은 분수를 **5**개 만드세요.

_____

6 어떤 분수의 분모와 분자의 최대공약수가 **49**입니다. **1** 이외에 이 분수의 분모와 분자를 동시에 나눌
수 있는 수를 모두 쓰세요.

_____

약분하기

개념
원리

( ) 안의 수는 분모와 분자의 공약수입니다. 분모와 분자를 공약수로 나누어 약분하여 봅시다.

$$\frac{\overset{12}{\cancel{24}}}{\underset{30}{\cancel{60}}} = \frac{12}{\boxed{30}}$$
(2)

$$\frac{\overset{8}{\cancel{24}}}{\underset{20}{\cancel{60}}} = \frac{\boxed{8}}{20}$$
(3)

$$\frac{\overset{4}{\cancel{24}}}{\underset{\boxed{10}}{\cancel{60}}} = \frac{4}{\boxed{10}}$$
(6)

$$\frac{\overset{\boxed{2}}{\cancel{24}}}{\underset{5}{\cancel{60}}} = \frac{\boxed{2}}{5}$$
(12)

분모와 분자를 1 이외의 공약수로 나누어 간단히 하는 것을 약분한다고 합니다.

24÷2 → 12
$$\frac{\cancel{24}}{\cancel{60}} = \frac{12}{30}$$
60÷2 → 30
(2)

24÷3 → 8
$$\frac{\cancel{24}}{\cancel{60}} = \frac{8}{20}$$
60÷3 → 20
(3)

$$\frac{\overset{9}{\cancel{18}}}{\underset{\boxed{}}{\cancel{30}}} = \frac{9}{\boxed{}}$$
(2)

$$\frac{\overset{\boxed{}}{\cancel{18}}}{\underset{10}{\cancel{30}}} = \frac{\boxed{}}{10}$$
(3)

$$\frac{\overset{\boxed{}}{\cancel{18}}}{\underset{\boxed{}}{\cancel{30}}} = \frac{3}{\boxed{}}$$
(6)

$$\frac{\overset{10}{\cancel{20}}}{\underset{\boxed{}}{\cancel{50}}} = \frac{10}{\boxed{}}$$
(2)

$$\frac{\overset{\boxed{}}{\cancel{20}}}{\underset{10}{\cancel{50}}} = \frac{\boxed{}}{10}$$
(5)

$$\frac{\overset{\boxed{}}{\cancel{20}}}{\underset{5}{\cancel{50}}} = \frac{2}{\boxed{}}$$
(10)

$\dfrac{\overset{4}{\cancel{8}}}{\underset{12}{\cancel{24}}} = \dfrac{\boxed{}}{12}$

$\dfrac{8}{24} = \dfrac{2}{\boxed{}}$

$\dfrac{8}{24} = \dfrac{\boxed{}}{3}$

$\dfrac{30}{36} = \dfrac{\boxed{}}{18}$

$\dfrac{30}{36} = \dfrac{10}{\boxed{}}$

$\dfrac{30}{36} = \dfrac{\boxed{}}{6}$

$\dfrac{30}{72} = \dfrac{\boxed{}}{12}$

$\dfrac{30}{72} = \dfrac{10}{\boxed{}}$

$\dfrac{30}{72} = \dfrac{\boxed{}}{36}$

$\dfrac{14}{49} = \dfrac{\boxed{}}{\boxed{}}$

$\dfrac{15}{35} = \dfrac{\boxed{}}{\boxed{}}$

$\dfrac{15}{33} = \dfrac{\boxed{}}{\boxed{}}$

$\dfrac{6}{14} = \dfrac{\boxed{}}{\boxed{}}$

$\dfrac{20}{25} = \dfrac{\boxed{}}{\boxed{}}$

$\dfrac{9}{12} = \dfrac{\boxed{}}{\boxed{}}$

$\dfrac{7}{35} = \dfrac{\boxed{}}{\boxed{}}$

$\dfrac{33}{44} = \dfrac{\boxed{}}{\boxed{}}$

$\dfrac{21}{35} = \dfrac{\boxed{}}{\boxed{}}$

1 왼쪽 분수를 약분한 분수가 아닌 것을 모두 찾아 ✕표 하세요.

$\dfrac{16}{24}$ ······ $\dfrac{2}{3}$　　$\dfrac{3}{4}$　　$\dfrac{4}{6}$　　$\dfrac{6}{14}$　　$\dfrac{8}{12}$

$\dfrac{24}{40}$ ······ $\dfrac{3}{5}$　　$\dfrac{6}{10}$　　$\dfrac{8}{15}$　　$\dfrac{12}{20}$　　$\dfrac{14}{30}$

2 다음 조건에 맞는 분수를 쓰세요.

- $\dfrac{40}{64}$ 를 약분한 분수입니다.
- 분모, 분자의 합이 20보다 큽니다.
- 분모는 20보다 작습니다.

- $\dfrac{18}{24}$ 을 약분한 분수입니다.
- 분모와 분자의 공약수가 1뿐입니다.

3 $\dfrac{12}{30}$ 를 약분하려고 합니다. 분모와 분자를 동시에 나눌 수 있는 수를 모두 쓰세요.

4 약분한 분수를 모두 쓰세요.

$\dfrac{12}{18}$

$\dfrac{16}{48}$

_____

_____

5 약분이 되지 않는 분수를 모두 찾아 ◯표 하세요.

$\dfrac{9}{14}$ $\dfrac{12}{15}$ $\dfrac{11}{16}$ $\dfrac{15}{25}$ $\dfrac{45}{63}$ $\dfrac{14}{45}$ $\dfrac{21}{54}$

6 약분에 대해 바르게 말한 사람을 모두 찾아 이름을 쓰세요.

분모, 분자를 같은 수로 빼서 만들어.
슬기

약분을 한 분수는 원래 분수와 크기가 같아.
민주

분모, 분자를 공배수로 곱해서 만들어.
승희

크기가 같은 분수를 만드는 방법과 약분하는 방법은 모두 같아.
우진

분모, 분자를 공약수로 나누어서 만들어.
정호

_____

기약분수

개념
원리

분수를 기약분수로 나타내어 봅시다.

$$\frac{28}{40} = \frac{28 \div \boxed{4}}{40 \div \boxed{4}} = \frac{\boxed{7}}{\boxed{10}}$$

$$\frac{18}{42} = \frac{18 \div \boxed{6}}{42 \div \boxed{6}} = \frac{\boxed{3}}{\boxed{7}}$$

분모와 분자의 공약수가 **1**뿐인 분수를 기약분수라고 합니다.

기약분수로 나타낼 때에는 분모와 분자의 최대공약수로 분모와 분자를 나누어줍니다.

$$\frac{28}{40} = \frac{28 \div 4}{40 \div 4} = \frac{7}{10}$$

↑
분모와 분자의 최대공약수

$$\frac{20}{32} = \frac{20 \div \boxed{}}{32 \div \boxed{}} = \frac{\boxed{}}{\boxed{}}$$

$$\frac{16}{28} = \frac{16 \div \boxed{}}{28 \div \boxed{}} = \frac{\boxed{}}{\boxed{}}$$

$$\frac{36}{72} = \frac{36 \div \boxed{}}{72 \div \boxed{}} = \frac{\boxed{}}{\boxed{}}$$

$$\frac{40}{48} = \frac{40 \div \boxed{}}{48 \div \boxed{}} = \frac{\boxed{}}{\boxed{}}$$

$$\frac{18}{45} = \frac{18 \div \boxed{}}{45 \div \boxed{}} = \frac{\boxed{}}{\boxed{}}$$

$$\frac{54}{72} = \frac{54 \div \boxed{}}{72 \div \boxed{}} = \frac{\boxed{}}{\boxed{}}$$

$\dfrac{6}{9} = \dfrac{\square}{\square}$

$\dfrac{4}{12} = \dfrac{\square}{\square}$

기약분수로 나타내세요.

$\dfrac{10}{16} = \dfrac{\square}{\square}$

$\dfrac{16}{18} = \dfrac{\square}{\square}$

$\dfrac{13}{39} = \dfrac{\square}{\square}$

$\dfrac{11}{44} = \dfrac{\square}{\square}$

$\dfrac{12}{30} = \dfrac{\square}{\square}$

$\dfrac{40}{50} = \dfrac{\square}{\square}$

$\dfrac{28}{42} = \dfrac{\square}{\square}$

$\dfrac{12}{42} = \dfrac{\square}{\square}$

$\dfrac{21}{35} = \dfrac{\square}{\square}$

$\dfrac{13}{52} = \dfrac{\square}{\square}$

$\dfrac{20}{55} = \dfrac{\square}{\square}$

$\dfrac{36}{54} = \dfrac{\square}{\square}$

$\dfrac{15}{102} = \dfrac{\square}{\square}$

$\dfrac{42}{105} = \dfrac{\square}{\square}$

$\dfrac{55}{110} = \dfrac{\square}{\square}$

1 분수 중 기약분수를 모두 찾아 ◯표 하세요.

$$\frac{2}{5} \qquad \frac{5}{10} \qquad \frac{3}{15} \qquad \frac{7}{7} \qquad \frac{4}{9}$$

$$\frac{4}{10} \qquad \frac{3}{8} \qquad \frac{5}{16} \qquad \frac{9}{21} \qquad \frac{13}{42}$$

2 기약분수로 나타내었을 때 분자가 같은 분수끼리 선으로 이으세요.

$$\frac{10}{14} \qquad \frac{9}{45} \qquad \frac{5}{15} \qquad \frac{6}{15}$$

$$\frac{20}{25} \qquad \frac{15}{27} \qquad \frac{8}{28} \qquad \frac{7}{28}$$

$$\frac{8}{16} \qquad \frac{8}{22} \qquad \frac{15}{55} \qquad \frac{9}{21}$$

3 진분수 $\dfrac{\square}{36}$ 가 기약분수라고 할 때, □ 안에 들어갈 수 있는 수를 모두 쓰세요.

4 다음 조건에 맞는 기약분수를 모두 찾아 쓰세요.

분모가 **5**보다 작은 진분수

_____

분모가 **8**인 진분수

_____

분모가 **10**보다 작고 분자가 **2**인 진분수

_____

5 다음 분수 중에서 기약분수는 모두 몇 개일까요?

$$\frac{1}{20}, \frac{2}{20}, \frac{3}{20} \cdots \cdots \frac{18}{20}, \frac{19}{20}$$

_____ 개

6 준호네 학교에서 학교 대표를 뽑는 선거를 하였습니다. 모두 **420**명이 투표하였고, 그중에서 준호는 **126**표를 얻어 학교 대표에 당선되었습니다. 준호가 얻은 표는 전체의 몇 분의 몇인지 기약분수로 나타내세요.

_____

1 왼쪽 분수와 크기가 같은 분수를 모두 찾아 ○표 하세요.

$\dfrac{4}{10}$ ➡

$\dfrac{8}{20}$ $\dfrac{4}{5}$ $\dfrac{4}{16}$ $\dfrac{2}{10}$ $\dfrac{6}{15}$ $\dfrac{2}{5}$

$\dfrac{12}{28}$ ➡

$\dfrac{3}{7}$ $\dfrac{28}{56}$ $\dfrac{6}{14}$ $\dfrac{15}{35}$ $\dfrac{9}{20}$ $\dfrac{21}{82}$

2 주어진 수 카드를 한 장씩 모두 사용하여 크기가 같은 진분수 2개를 만드세요.

1	2	4
	6	7

$\dfrac{\square}{\square\ \square} = \dfrac{\square}{\square}$

3 다음 조건에 맞는 분수를 쓰세요.

$\dfrac{2}{5}$ 와 크기가 같은 분수 중에서 분모와 분자의 합이 **49**인 분수

$\dfrac{18}{24}$ 과 크기가 같고 분모가 분자보다 **2** 큰 분수

4 어떤 분수의 분모와 분자의 최대공약수가 **36**입니다. **1** 이외에 이 분수의 분모와 분자를 동시에 나눌
   수 있는 수를 모두 쓰세요.

   _____

5 다음 조건에 맞는 분수를 쓰세요.

   - $\dfrac{24}{36}$ 를 약분한 분수입니다
   - 분모, 분자의 합이 **10**보다 큽니다.
   - 분모는 **10**보다 작습니다.

   - $\dfrac{48}{72}$ 을 약분한 분수 중 분모, 분자의 합이 가장 작습니다.

6 약분이 되지 않는 분수를 모두 찾아 ○표 하세요.

   $$\dfrac{2}{4} \qquad \dfrac{5}{8} \qquad \dfrac{15}{21} \qquad \dfrac{15}{95} \qquad \dfrac{56}{63} \qquad \dfrac{13}{50} \qquad \dfrac{5}{77}$$

7 분수 중 기약분수를 모두 찾아 ◯표 하세요.

$$\frac{5}{7} \qquad \frac{4}{8} \qquad \frac{11}{14} \qquad \frac{7}{21} \qquad \frac{23}{69}$$

$$\frac{3}{14} \qquad \frac{4}{32} \qquad \frac{8}{38} \qquad \frac{3}{16} \qquad \frac{11}{15}$$

8 진분수 $\dfrac{\square}{15}$ 가 기약분수라고 할 때 $\square$ 안에 들어갈 수 있는 수를 모두 쓰세요.

9 다음 분수 중에서 기약분수는 모두 몇 개일까요?

$$\frac{1}{24}, \frac{2}{24}, \frac{3}{24} \cdots\cdots \frac{22}{24}, \frac{23}{24}$$

_____ 개

2주차

분수의
크기 비교

통분하거나 통분하지 않고 분수의 크기 비교하기

두 분모의 최소공배수

 두 분모의 최소공배수를 간편하게 구하는 방법을 알아봅시다.

$$\frac{1}{24} \quad \frac{1}{36}$$

최대공약수: 12

최소공배수: $\dfrac{\overset{2}{24} \times 36}{\underset{1}{\cancel{12}}} = $ 72

최소공배수를 간편하게 구하려면 최대공약수를 구한 후 두 분모의 곱을 최대공약수로 나누어주면 됩니다. 이때 약분하는 법을 이용하면 편리합니다.

$$\frac{1}{21} \quad \frac{1}{20}$$

최대공약수: 1

최소공배수: 21 × 20 = 420

두 분모의 최대공약수가 1이면 최소공배수는 두 분모의 곱이 됩니다.

$$\frac{1}{12} \quad \frac{1}{15}$$

최대공약수: ☐

최소공배수: $\dfrac{\overset{\square}{12} \times 15}{\underset{1}{\cancel{}}} = $ ☐

$$\frac{1}{16} \quad \frac{1}{15}$$

최대공약수: ☐

최소공배수: ☐ × ☐ = ☐

$$\frac{1}{25} \quad \frac{1}{40}$$

최대공약수: ☐

최소공배수: $\dfrac{\overset{\square}{25} \times 40}{\underset{1}{\cancel{}}} = $ ☐

$$\frac{1}{9} \quad \frac{1}{14}$$

최대공약수: ☐

최소공배수: ☐ × ☐ = ☐

$$\frac{1}{9} \quad \frac{1}{15}$$

두 분수의 분모의 최대공약수와
최소공배수를 구하세요.

최대공약수: _____

최소공배수: _____

$$\frac{1}{8} \quad \frac{1}{6}$$

최대공약수: _____

최소공배수: _____

$$\frac{1}{15} \quad \frac{1}{8}$$

최대공약수: _____

최소공배수: _____

$$\frac{1}{7} \quad \frac{1}{21}$$

최대공약수: _____

최소공배수: _____

$$\frac{1}{7} \quad \frac{1}{30}$$

최대공약수: _____

최소공배수: _____

1 두 분모의 최소공배수가 두 분모의 곱과 같은 것을 모두 찾아 ◯표 하세요.

$\dfrac{1}{3}$ $\dfrac{1}{4}$	$\dfrac{1}{6}$ $\dfrac{1}{8}$	$\dfrac{1}{9}$ $\dfrac{1}{15}$
$\dfrac{1}{12}$ $\dfrac{1}{20}$	$\dfrac{1}{11}$ $\dfrac{1}{33}$	$\dfrac{1}{21}$ $\dfrac{1}{25}$

2 한 분모가 다른 분모의 배수인 두 분모의 최대공약수와 최소공배수를 구하세요.

$$\dfrac{1}{3} \quad \dfrac{1}{6}$$

$$\dfrac{1}{15} \quad \dfrac{1}{5}$$

$$\dfrac{1}{7} \quad \dfrac{1}{42}$$

최대공약수: _____

최소공배수: _____

최대공약수: _____

최소공배수: _____

최대공약수: _____

최소공배수: _____

3 다음 두 분모의 최소공배수가 같은 것끼리 선으로 이으세요.

$$\dfrac{1}{9} \quad \dfrac{1}{10}$$

$$\dfrac{1}{9} \quad \dfrac{1}{2}$$

$$\dfrac{1}{5} \quad \dfrac{1}{45}$$

$$\dfrac{1}{18} \quad \dfrac{1}{5}$$

$$\dfrac{1}{9} \quad \dfrac{1}{15}$$

$$\dfrac{1}{18} \quad \dfrac{1}{3}$$

4 단위분수인 두 분수가 있습니다. 두 분모의 최대공약수는 5이고, 두 분모의 곱은 80입니다. 두 분모의 최소공배수는 얼마일까요?

_____

5 다음 조건에 맞는 두 분수를 구하세요.

• 단위분수입니다.
• 두 분모의 최대공약수는 2입니다.
• 두 분모의 최소공배수는 10입니다.

_____

• 단위분수입니다.
• 두 분모의 최대공약수는 1입니다.
• 두 분모의 최소공배수는 21입니다.

_____

6 두 분모의 최소공배수를 구하는 방법에 대해 잘못 말한 사람은 누구일까요?

두 분모의 최소공배수는
두 분모의 곱을 최대공약수로
나눈 것과 같아.

우진

$\frac{1}{7}$, $\frac{1}{21}$ 과 같이 두 분모의
최대공약수가 작은 분모이면
두 분모의 최소공배수는
큰 분모야.

승희

$\frac{1}{5}$, $\frac{1}{7}$ 과 같이 두 분모의
최대공약수가 1이면
두 분모의 최소공배수는
두 분모의 합과 같아.

슬기

_____

통분

개념 원리

두 분수를 통분하여 봅시다.

분모의 곱을 공통분모로 하여 통분하기

$$\left(\frac{3}{8}, \frac{5}{12}\right) \Rightarrow \left(\frac{3 \times \boxed{12}}{8 \times 12}, \frac{5 \times 8}{12 \times \boxed{8}}\right) \Rightarrow \left(\frac{\boxed{36}}{\boxed{96}}, \frac{\boxed{40}}{\boxed{96}}\right)$$

분모의 최소공배수를 공통분모로 하여 통분하기

$$\left(\frac{3}{8}, \frac{5}{12}\right) \Rightarrow \left(\frac{3 \times \boxed{3}}{8 \times 3}, \frac{5 \times 2}{12 \times \boxed{2}}\right) \Rightarrow \left(\frac{\boxed{9}}{\boxed{24}}, \frac{\boxed{10}}{\boxed{24}}\right)$$

분수의 분모를 같게 하는 것을 통분한다고 하고, 통분한 분모를 공통분모라고 합니다.
분수를 통분할 때 공통분모가 될 수 있는 수는 분모의 공배수입니다

분모의 곱을 공통분모로 하여 통분하기

$$\left(\frac{2}{9}, \frac{5}{6}\right) \Rightarrow \left(\frac{2 \times \boxed{}}{9 \times 6}, \frac{5 \times 9}{6 \times \boxed{}}\right) \Rightarrow \left(\frac{\boxed{}}{\boxed{}}, \frac{\boxed{}}{\boxed{}}\right)$$

분모의 최소공배수를 공통분모로 하여 통분하기

$$\left(\frac{2}{9}, \frac{5}{6}\right) \Rightarrow \left(\frac{2 \times \boxed{}}{9 \times 2}, \frac{5 \times 3}{6 \times \boxed{}}\right) \Rightarrow \left(\frac{\boxed{}}{\boxed{}}, \frac{\boxed{}}{\boxed{}}\right)$$

분모의 곱과 분모의 최소공배수가 같을 때 통분하기

$$\left(\frac{3}{7}, \frac{5}{8}\right) \Rightarrow \left(\frac{3 \times \boxed{}}{7 \times \boxed{}}, \frac{5 \times \boxed{}}{8 \times \boxed{}}\right) \Rightarrow \left(\frac{\boxed{}}{\boxed{}}, \frac{\boxed{}}{\boxed{}}\right)$$

분모의 곱과 분모의 최소공배수를
공통분모로 하여 통분하세요.

$\dfrac{3}{8}$ $\dfrac{5}{12}$

분모의 곱 (,   )

최소공배수 (,   )

$\dfrac{1}{6}$ $\dfrac{7}{10}$

분모의 곱 (,   )

최소공배수 (,   )

$\dfrac{3}{4}$ $\dfrac{5}{12}$

분모의 곱 (,   )

최소공배수 (,   )

$\dfrac{4}{15}$ $\dfrac{3}{10}$

분모의 곱 (,   )

최소공배수 (,   )

$\dfrac{11}{12}$ $\dfrac{13}{15}$

분모의 곱 (,   )

최소공배수 (,   )

$\dfrac{1}{6}$ $\dfrac{4}{5}$ ➡ (,   )

$\dfrac{7}{12}$ $\dfrac{2}{7}$ ➡ (,   )

1 두 분수의 분모의 최소공배수로 통분할 때 공통분모가 같은 것끼리 선으로 이으세요.

| $\dfrac{11}{20}$ | $\dfrac{19}{30}$ |

| $2\dfrac{5}{18}$ | $\dfrac{1}{2}$ |

| $\dfrac{5}{24}$ | $1\dfrac{7}{12}$ |

| $\dfrac{4}{15}$ | $\dfrac{3}{20}$ |

| $\dfrac{2}{3}$ | $1\dfrac{3}{8}$ |

| $1\dfrac{7}{9}$ | $\dfrac{1}{6}$ |

2 두 분수를 통분할 때 공통분모가 될 수 있는 수를 모두 찾아 ◯표 하세요.

$\dfrac{5}{6}$ $\dfrac{3}{7}$ ······ 6   7   21   35   42   84

$\dfrac{1}{5}$ $\dfrac{11}{20}$ ······ 5   10   20   30   40   50

3 $\dfrac{5}{6}$와 $\dfrac{7}{10}$을 통분할 때 공통분모가 될 수 있는 수 중에서 100보다 작은 수를 모두 쓰세요.

4 다음 중 틀린 설명을 고르세요.

① 분수의 분모를 같게 하는 것을 통분한다고 합니다.
② 공통분모가 될 수 있는 수는 분모의 공배수입니다.
③ 공통분모가 될 수 있는 수 중 가장 큰 수는 분모의 최소공배수입니다.
④ 분모의 최대공약수가 1이면 공통분모 중 가장 작은 수는 분모의 곱과 같습니다.
⑤ 공통분모가 될 수 있는 수 중 가장 작은 수는 (분모의 곱)÷(최대공약수)입니다.

5 분모를 가장 작게 하여 두 분수를 통분하세요.

$\dfrac{3}{8}$ $\dfrac{11}{12}$ ➡ (,   )

$\dfrac{5}{6}$ $\dfrac{3}{7}$ ➡ (,   )

$3\dfrac{3}{4}$ $\dfrac{7}{14}$ ➡ (,   )

$\dfrac{1}{3}$ $2\dfrac{5}{9}$ ➡ (,   )

6 어떤 두 기약분수를 통분하였더니 $\dfrac{4}{24}$ 와 $\dfrac{9}{24}$ 가 되었습니다. 통분하기 전의 두 분수를 구하세요.

통분하지 않고 분수의 크기 비교하기

 분수만큼 색칠하고 분수의 크기를 비교하여 봅시다.

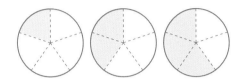

$$\frac{1}{5} < \frac{2}{5} < \frac{3}{5}$$

분모가 같은 분수는 분자가 클수록 큽니다.

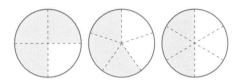

$$\frac{3}{4} > \frac{3}{5} > \frac{3}{6}$$

분자가 같은 분수는 분모가 작을수록 큽니다.

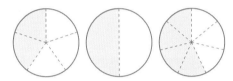

$$\frac{2}{5} < \frac{1}{2} < \frac{4}{7}$$

분자를 2배 한 수가 분모보다 크면 그 분수는 $\frac{1}{2}$보다 큽니다.

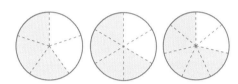

$$\frac{3}{5} < \frac{4}{6} < \frac{5}{7}$$

분모와 분자의 차가 같은 분수는 분모가 클수록 큽니다.

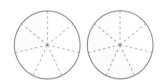

$$\frac{2}{7} \bigcirc \frac{4}{7}$$

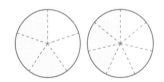

$$\frac{3}{5} \bigcirc \frac{3}{7}$$

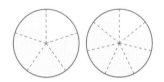

$$\frac{4}{5} \bigcirc \frac{6}{7}$$

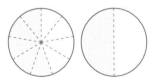

$$\frac{5}{9} \bigcirc \frac{1}{2}$$

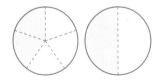

$$\frac{2}{5} \bigcirc \frac{1}{2}$$

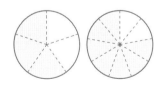

$$\frac{3}{5} \bigcirc \frac{7}{9}$$

$\dfrac{8}{10} \bigcirc \dfrac{9}{10}$ $\dfrac{2}{3} \bigcirc \dfrac{4}{5}$ $\dfrac{5}{6} \bigcirc \dfrac{6}{7}$

$\dfrac{10}{14} \bigcirc \dfrac{10}{15}$ $\dfrac{3}{10} \bigcirc \dfrac{4}{10}$ $\dfrac{9}{17} \bigcirc \dfrac{1}{2}$

$\dfrac{1}{2} \bigcirc \dfrac{8}{14}$ $\dfrac{7}{9} \bigcirc \dfrac{9}{11}$ $\dfrac{11}{13} \bigcirc \dfrac{11}{14}$

$\dfrac{2}{13} \bigcirc \dfrac{7}{13}$ $\dfrac{10}{13} \bigcirc \dfrac{8}{11}$ $\dfrac{5}{9} \bigcirc \dfrac{4}{9}$

$\dfrac{6}{7} \bigcirc \dfrac{6}{11}$ $\dfrac{8}{14} \bigcirc \dfrac{8}{12}$ $\dfrac{5}{7} \bigcirc \dfrac{5}{6}$

$\dfrac{1}{2} \bigcirc \dfrac{10}{19}$ $\dfrac{1}{2} \bigcirc \dfrac{7}{15}$ $\dfrac{5}{11} \bigcirc \dfrac{1}{2}$

1 이웃한 두 분수의 크기를 비교하여 더 큰 분수를 위쪽의 □ 안에 쓰세요.

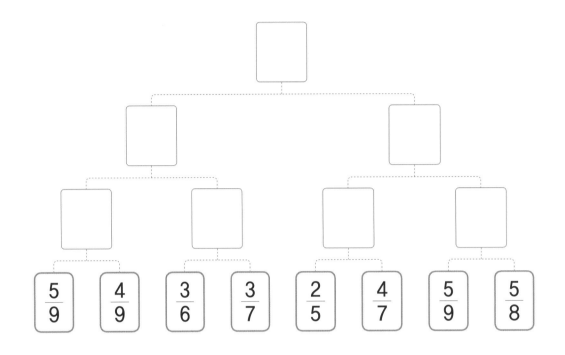

$\dfrac{5}{9}$ $\dfrac{4}{9}$ $\dfrac{3}{6}$ $\dfrac{3}{7}$ $\dfrac{2}{5}$ $\dfrac{4}{7}$ $\dfrac{5}{9}$ $\dfrac{5}{8}$

2 왼쪽 분수보다 크고 오른쪽 분수보다 작은 분수에 모두 ◯표 하세요.

$\dfrac{1}{2}$ < $\dfrac{2}{3}$ $\dfrac{4}{9}$ $\dfrac{5}{6}$ $\dfrac{3}{7}$ $\dfrac{4}{7}$ $\dfrac{3}{5}$ < $\dfrac{4}{5}$

$\dfrac{3}{4}$ < $\dfrac{1}{2}$ $\dfrac{6}{7}$ $\dfrac{8}{9}$ $\dfrac{2}{3}$ $\dfrac{5}{6}$ $\dfrac{4}{5}$ < $\dfrac{7}{8}$

$\dfrac{3}{10}$ < $\dfrac{4}{10}$ $\dfrac{3}{11}$ $\dfrac{3}{6}$ $\dfrac{3}{9}$ $\dfrac{3}{13}$ $\dfrac{3}{5}$ < $\dfrac{1}{2}$

3 세 분수의 크기를 비교하여 ☐ 안에 알맞은 분수를 쓰세요.

$$\left(\frac{4}{7}, \frac{2}{5}, \frac{7}{10}\right)$$ ➡ ☐ < ☐ < ☐

$$\left(\frac{6}{11}, \frac{8}{13}, \frac{7}{15}\right)$$ ➡ ☐ < ☐ < ☐

4 수 카드로 만들 수 있는 진분수를 큰 수부터 차례로 모두 쓰세요.

_____

_____

5 크기가 같은 물통 가, 나, 다에 다음과 같이 물이 들어 있습니다. 물이 많이 들어 있는 것부터 차례로 기호를 쓰세요.

가

나

다

_____

분수의 크기 비교하기

개념
원리

통분하여 두 분수의 크기를 비교해 봅시다.

$$\left(\frac{1}{3}, \frac{2}{7}\right) \Rightarrow \left(\frac{\boxed{7}}{21}, \frac{\boxed{6}}{21}\right) \Rightarrow \left(\frac{1}{3} > \frac{2}{7}\right)$$

$$\left(\frac{1}{4}, \frac{3}{10}\right) \Rightarrow \left(\frac{\boxed{5}}{20}, \frac{\boxed{6}}{20}\right) \Rightarrow \left(\frac{1}{4} < \frac{3}{10}\right)$$

분모가 다른 두 분수는 통분하여 분모를 같게 한 다음 분자의 크기를 비교합니다.
분모가 같은 분수는 분자가 클수록 큽니다.

$$\left(\frac{7}{9}, \frac{3}{5}\right) \Rightarrow \left(\frac{\boxed{}}{45}, \frac{\boxed{}}{45}\right) \Rightarrow \left(\frac{7}{9} \bigcirc \frac{3}{5}\right)$$

$$\left(\frac{7}{16}, \frac{3}{4}\right) \Rightarrow \left(\frac{\boxed{}}{16}, \frac{\boxed{}}{16}\right) \Rightarrow \left(\frac{7}{16} \bigcirc \frac{3}{4}\right)$$

$$\left(\frac{2}{3}, \frac{4}{7}\right) \Rightarrow \left(\frac{\boxed{}}{21}, \frac{\boxed{}}{21}\right) \Rightarrow \left(\frac{2}{3} \bigcirc \frac{4}{7}\right)$$

$$\left(\frac{5}{8}, \frac{7}{12}\right) \Rightarrow \left(\frac{\boxed{}}{24}, \frac{\boxed{}}{24}\right) \Rightarrow \left(\frac{5}{8} \bigcirc \frac{7}{12}\right)$$

$\dfrac{3}{4}$ ◯ $\dfrac{4}{5}$ $\dfrac{7}{11}$ ◯ $\dfrac{5}{9}$ $\dfrac{7}{15}$ ◯ $\dfrac{9}{20}$

$\dfrac{3}{5}$ ◯ $\dfrac{5}{9}$ $\dfrac{4}{7}$ ◯ $\dfrac{9}{14}$ $\dfrac{3}{8}$ ◯ $\dfrac{5}{12}$

$\dfrac{5}{12}$ ◯ $\dfrac{2}{3}$ $\dfrac{2}{3}$ ◯ $\dfrac{3}{5}$ $\dfrac{1}{3}$ ◯ $\dfrac{3}{9}$

$\dfrac{13}{17}$ ◯ $\dfrac{29}{51}$ $\dfrac{5}{9}$ ◯ $\dfrac{7}{11}$ $\dfrac{17}{20}$ ◯ $\dfrac{5}{6}$

$1\dfrac{7}{12}$ ◯ $1\dfrac{5}{9}$ $2\dfrac{5}{8}$ ◯ $2\dfrac{3}{5}$ $3\dfrac{3}{8}$ ◯ $3\dfrac{7}{16}$

$2\dfrac{3}{7}$ ◯ $2\dfrac{5}{14}$ $3\dfrac{4}{7}$ ◯ $3\dfrac{9}{13}$ $1\dfrac{5}{12}$ ◯ $1\dfrac{7}{16}$

1 이웃한 두 분수의 크기를 비교하여 더 큰 분수를 위쪽의 ☐ 안에 쓰세요.

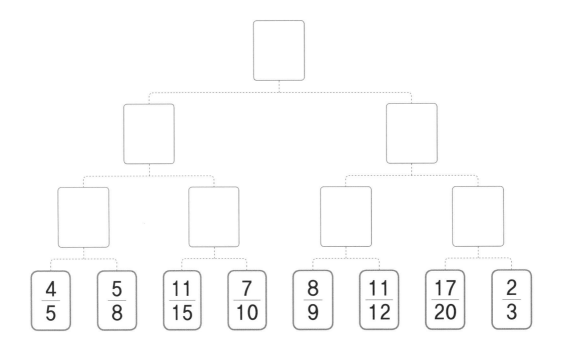

2 분수의 크기를 비교하여 작은 수부터 차례로 쓰세요.

$$\frac{2}{9} \qquad \frac{1}{2} \qquad \frac{1}{3} \qquad \frac{5}{9} \qquad \frac{7}{18}$$

_____

$$\frac{1}{2} \qquad \frac{7}{16} \qquad \frac{3}{4} \qquad \frac{7}{8} \qquad \frac{1}{4}$$

_____

3 수 카드 4장 중에서 2장을 뽑아 진분수를 만들려고 합니다. 만들 수 있는 진분수 중 가장 큰 분수와
가장 작은 분수를 각각 쓰세요.

가장 큰 진분수: _____

가장 작은 진분수: _____

가장 큰 진분수: _____

가장 작은 진분수: _____

4 진분수의 크기를 비교하여 ☐ 안에 넣을 수 있는 수를 모두 쓰세요.

$$\frac{\square}{7} < \frac{3}{4}$$

$$\frac{1}{3} < \frac{\square}{6} < \frac{17}{18}$$

_____

_____

5 세 접시에 딸기가 같은 수만큼 담겨 있습니다. 딸기를 가장 적게 먹은 사람은 누구일까요?

나는 한 접시의 $\frac{2}{5}$ 를 먹었어.

나는 한 접시의 $\frac{3}{10}$ 을 먹었어.

나는 한 접시의 $\frac{4}{15}$ 를 먹었어.

승희

정호

민주

_____

1 두 분모의 최소공배수가 두 분모의 곱과 같은 것을 모두 찾아 ◯표 하세요.

$$\frac{1}{2} \quad \frac{1}{3} \qquad \frac{1}{5} \quad \frac{1}{10} \qquad \frac{1}{4} \quad \frac{1}{6}$$

$$\frac{1}{5} \quad \frac{1}{7} \qquad \frac{1}{14} \quad \frac{1}{21} \qquad \frac{1}{3} \quad \frac{1}{4}$$

2 $\frac{3}{14}$ 과 $\frac{8}{21}$ 을 통분할 때 공통분모가 될 수 있는 수 중에서 100보다 작은 수를 모두 쓰세요.

_____

3 분모를 가장 작게 하여 두 분수를 통분하세요.

$\frac{7}{9} \quad \frac{5}{12}$ ➡ (,   ) $\frac{3}{5} \quad \frac{2}{9}$ ➡ (,   )

4 세 분수의 크기를 비교하여 ☐ 안에 쓰세요.

$$\frac{1}{2} \qquad \frac{2}{7} \qquad \frac{3}{5}$$ ➡ ☐ < ☐ < ☐

$$\frac{5}{8} \qquad \frac{7}{12} \qquad \frac{3}{10}$$ ➡ ☐ < ☐ < ☐

5 분수의 크기를 비교하여 작은 것부터 차례로 쓰세요.

$$\frac{3}{4} \qquad \frac{1}{6} \qquad \frac{1}{2} \qquad \frac{5}{12} \qquad \frac{2}{3}$$

_____

$$\frac{8}{11} \qquad \frac{5}{7} \qquad \frac{7}{15} \qquad \frac{4}{5} \qquad \frac{16}{21}$$

_____

6 진분수의 크기를 비교하여 ☐ 안에 넣을 수 있는 수를 모두 쓰세요.

$$\frac{\boxed{}}{6} < \frac{4}{5}$$

$$\frac{1}{2} < \frac{\boxed{}}{10} < \frac{18}{25}$$

_____   _____

7 수 카드 **4**장 중에서 **2**장을 골라 진분수를 만들려고 합니다. 만들 수 있는 진분수 중 가장 큰 분수와 가장 작은 분수를 쓰세요.

| 3 | 4 | 7 | 8 |

가장 큰 진분수:
_____

가장 작은 진분수:
_____

| 2 | 3 | 5 | 8 |

가장 큰 진분수:
_____

가장 작은 진분수:
_____

8 수직선에 나타내었을 때 $\dfrac{2}{9}$와 $\dfrac{5}{7}$ 사이에 있는 분수를 모두 찾아 ○표 하세요.

$$\dfrac{1}{8} \qquad \dfrac{4}{7} \qquad \dfrac{8}{11} \qquad \dfrac{9}{14} \qquad \dfrac{3}{18}$$

9 친구 **3**명이 철사로 모양 꾸미기 놀이를 합니다. 사용한 철사가 가장 긴 사람은 누구일까요?

지호는 $\dfrac{2}{3}$ m의 철사를 사용하였습니다.

민정이는 $\dfrac{5}{6}$ m의 철사를 사용하였습니다.

소민이는 $\dfrac{7}{9}$ m의 철사를 사용하였습니다.

_____

3주차

분수의
덧셈과 뺄셈 (1)

진분수의 덧셈과 뺄셈

분모가 같은 분수의 덧셈과 뺄셈

1일 393

 개념 원리

분모가 같은 분수의 덧셈과 뺄셈을 해 봅시다. 계산 결과는 약분하여 기약분수로 나타내고, 가분수이면 대분수로 나타냅니다.

$$\frac{5}{8} + \frac{7}{8} = \frac{\boxed{5} + \boxed{7}}{8} = \frac{\boxed{12}}{8} = \frac{\boxed{3}}{2} = \boxed{1}\frac{\boxed{1}}{2}$$

$$\frac{5}{6} - \frac{1}{6} = \frac{\boxed{5} - \boxed{1}}{6} = \frac{\boxed{4}}{6} = \frac{\boxed{2}}{3}$$

분모가 같은 분수의 덧셈과 뺄셈은 분모는 그대로 두고 분자끼리 계산합니다.

$$\frac{5}{9} + \frac{2}{9} = \frac{\boxed{} + \boxed{}}{9} = \frac{\boxed{}}{9}$$

$$\frac{11}{15} - \frac{3}{15} = \frac{\boxed{} - \boxed{}}{15} = \frac{\boxed{}}{15}$$

$$\frac{9}{14} + \frac{11}{14} = \frac{\boxed{} + \boxed{}}{14} = \frac{\boxed{}}{14} = \frac{\boxed{}}{7} = \boxed{}\frac{\boxed{}}{7}$$

$$\frac{7}{10} - \frac{3}{10} = \frac{\boxed{} - \boxed{}}{10} = \frac{\boxed{}}{10} = \frac{\boxed{}}{5}$$

$\dfrac{2}{7} + \dfrac{3}{7}$

계산 결과는 약분하여
기약분수로 나타내고,
가분수이면 대분수로 나타냅니다.

$\dfrac{2}{3} - \dfrac{1}{3}$

$\dfrac{6}{7} - \dfrac{3}{7}$

$\dfrac{4}{9} + \dfrac{2}{9}$

$\dfrac{5}{12} + \dfrac{4}{12}$

$\dfrac{7}{9} - \dfrac{2}{9}$

$\dfrac{11}{8} - \dfrac{5}{8}$

$\dfrac{5}{6} + \dfrac{5}{6}$

$\dfrac{13}{14} + \dfrac{11}{14}$

$\dfrac{8}{15} - \dfrac{2}{15}$

$\dfrac{11}{12} - \dfrac{5}{12}$

1 가로, 세로로 두 수의 합에 맞게 상자 안의 수를 빈칸에 쓰세요.

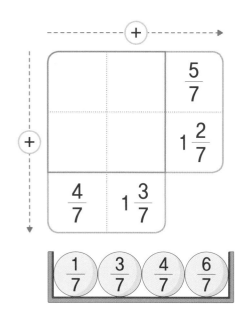

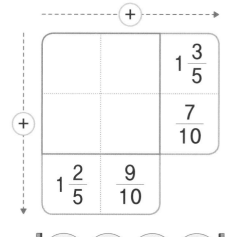

2 수 카드 **3**장 중에서 **2**장을 사용하여 가장 큰 진분수와 가장 작은 진분수를 만들고 두 분수의 합과 차를 구하세요. (단, 계산 결과는 기약분수로 나타내고, 가분수는 대분수로 나타냅니다.)

| 8 | 7 | 3 |

합: $\dfrac{7}{8}+\dfrac{3}{8}=\dfrac{10}{8}=\dfrac{5}{4}=1\dfrac{1}{4}$

차: $\dfrac{7}{8}-\dfrac{3}{8}=\dfrac{4}{8}=\dfrac{1}{2}$

| 2 | 6 | 7 |

| 4 | 8 | 9 |

합: _____

차: _____

합: _____

차: _____

3 □ 안에 들어갈 수 있는 수를 모두 찾아 ○표 하세요.

$\dfrac{7}{11} + \dfrac{\square}{11} < 1\dfrac{3}{11}$ ········· | 1 | 2 | 3 | 4 | 5 | 6 | 7 | 8 | 9 |

$\dfrac{8}{9} - \dfrac{\square}{9} > \dfrac{1}{3}$ ········· | 1 | 2 | 3 | 4 | 5 | 6 | 7 | 8 | 9 |

4 어떤 수에서 $\dfrac{5}{13}$ 를 더해야 할 것을 잘못하여 뺐더니 $\dfrac{6}{13}$ 이 되었습니다. 바르게 계산하면 얼마일까요?

잘못된 식: 식 _____   어떤 수: _____

바르게 계산하기: 식 _____   답 _____

5 철사를 민호는 $\dfrac{8}{9}$ m, 송희는 $\dfrac{7}{9}$ m 가지고 있습니다. 두 사람이 가진 철사 길이의 합과 차를 구하세요.

합: _____ m, 차: _____ m

분모가 다른 분수의 덧셈

 분모가 다른 분수의 덧셈을 알아봅시다.

$$\frac{1}{3} + \frac{2}{5} = \frac{\boxed{5}}{15} + \frac{\boxed{6}}{15} = \frac{\boxed{11}}{15}$$

$\frac{1}{3}$ ➡ $\frac{\boxed{5}}{15}$

$\frac{2}{5}$ ➡ $\frac{\boxed{6}}{15}$

$\frac{1}{3} + \frac{2}{5}$ ➡ $\frac{\boxed{11}}{15}$

분모가 다른 분수의 덧셈은 통분하여 분모를 같게 만들어 덧셈을 합니다.

$$\frac{1}{6} + \frac{1}{3} = \frac{\boxed{}}{6} + \frac{\boxed{}}{6} = \frac{\boxed{}}{6} = \frac{\boxed{}}{2}$$

$$\frac{5}{6} + \frac{3}{8} = \frac{\boxed{}}{24} + \frac{\boxed{}}{24} = \frac{\boxed{}}{24} = 1\frac{\boxed{}}{24}$$

$$\frac{4}{9} + \frac{11}{12} = \frac{\boxed{}}{36} + \frac{\boxed{}}{36} = \frac{\boxed{}}{36} = 1\frac{\boxed{}}{36}$$

$\dfrac{1}{4} + \dfrac{1}{8}$

계산 결과는 약분하여
기약분수로 나타내고,
가분수이면 대분수로 나타냅니다.

$\dfrac{1}{3} + \dfrac{1}{5}$

$\dfrac{1}{2} + \dfrac{1}{3}$

$\dfrac{1}{2} + \dfrac{2}{5}$

$\dfrac{1}{6} + \dfrac{3}{8}$

$\dfrac{3}{4} + \dfrac{2}{5}$

$\dfrac{5}{8} + \dfrac{3}{4}$

$\dfrac{3}{16} + \dfrac{11}{12}$

$\dfrac{8}{9} + \dfrac{5}{6}$

$\dfrac{7}{10} + \dfrac{5}{8}$

$\dfrac{7}{12} + \dfrac{11}{20}$

1 분수의 덧셈을 하여 빈칸에 알맞은 수를 쓰세요.

+	$\dfrac{1}{2}$	$\dfrac{3}{8}$
$\dfrac{2}{3}$		
$\dfrac{3}{4}$		

2 계산 결과의 크기를 비교하여 ◯ 안에 >, =, <를 알맞게 넣으세요.

$$\dfrac{2}{3}+\dfrac{1}{5} \bigcirc \dfrac{14}{15}$$
$$\dfrac{5}{12}+\dfrac{1}{9} \bigcirc \dfrac{1}{2}$$

$$\dfrac{1}{6}+\dfrac{1}{8} \bigcirc \dfrac{1}{5}+\dfrac{1}{9}$$
$$\dfrac{3}{4}+\dfrac{5}{6} \bigcirc \dfrac{4}{5}+\dfrac{4}{7}$$

3 다음 중 두 수를 사용하여 식을 만들고 계산하세요. (단, 계산 결과는 기약분수로 나타내고, 가분수는 대분수로 나타냅니다.)

$$\dfrac{2}{3} \qquad \dfrac{5}{6} \qquad \dfrac{9}{12} \qquad \dfrac{7}{15}$$

합이 가장 큰 식: 식 _____ 답 _____

합이 가장 작은 식: 식 _____ 답 _____

4 수 카드 **3**장 중에서 **2**장을 사용하여 가장 큰 진분수와 가장 작은 진분수를 만들고 두 분수의 합을 구
하세요. (단, 계산 결과는 기약분수로 나타내고, 가분수는 대분수로 나타냅니다.)

5 하진이는 줄넘기를 $\dfrac{3}{5}$ 시간 동안 연습하였고, 수경이는 $\dfrac{3}{8}$ 시간 동안 연습하였습니다. 두 사람이 줄넘
기를 연습한 시간은 모두 얼마일까요?

식   **답**   시간

6 전체 거리의 $\dfrac{1}{3}$ 은 버스, $\dfrac{4}{9}$ 는 기차를 타고 이동했습니다. 버스와 기차를 타고 이동한 거리는 전체 거
리의 얼마인지 분수로 나타내세요.

식   **답**

분모가 다른 분수의 뺄셈

 분모가 다른 분수의 뺄셈을 알아봅시다.

$$\frac{1}{2} - \frac{2}{5} = \frac{\boxed{5}}{10} - \frac{\boxed{4}}{10} = \frac{\boxed{1}}{10}$$

$\frac{1}{2}$ ➡ $\frac{\boxed{5}}{10}$

$\frac{2}{5}$ ➡ $\frac{\boxed{4}}{10}$

$\frac{1}{2} - \frac{2}{5}$ ➡ $\frac{\boxed{1}}{10}$

분모가 다른 분수의 뺄셈은 통분하여 분모를 같게 만들어 뺄셈을 합니다.

$$\frac{5}{6} - \frac{5}{9} = \frac{\boxed{}}{18} - \frac{\boxed{}}{18}$$
$$= \frac{\boxed{}}{18}$$

$$\frac{11}{12} - \frac{3}{8} = \frac{\boxed{}}{24} - \frac{\boxed{}}{24}$$
$$= \frac{\boxed{}}{24}$$

$$\frac{1}{2} - \frac{1}{6} = \frac{\boxed{}}{6} - \frac{\boxed{}}{6}$$
$$= \frac{\boxed{}}{6} = \frac{\boxed{}}{3}$$

$$\frac{9}{10} - \frac{11}{15} = \frac{\boxed{}}{30} - \frac{\boxed{}}{30}$$
$$= \frac{\boxed{}}{30} = \frac{\boxed{}}{6}$$

$$\frac{1}{2} - \frac{1}{4}$$

계산 결과는 약분하여 기약분수로 나타냅니다.

$$\frac{5}{6} - \frac{1}{5}$$

$$\frac{5}{8} - \frac{1}{4}$$

$$\frac{8}{9} - \frac{5}{6}$$

$$\frac{5}{7} - \frac{2}{5}$$

$$\frac{4}{5} - \frac{7}{15}$$

$$\frac{13}{16} - \frac{5}{12}$$

$$\frac{5}{12} - \frac{1}{6}$$

$$\frac{3}{4} - \frac{3}{10}$$

$$\frac{11}{14} - \frac{5}{8}$$

$$\frac{7}{12} - \frac{2}{9}$$

1 분수의 뺄셈을 하여 빈칸에 알맞은 수를 쓰세요. (단, 계산 결과는 기약분수로 나타냅니다.)

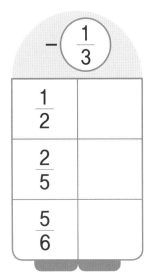

2 계산 결과의 크기를 비교하여 ○ 안에 >, =, <를 알맞게 넣으세요.

$$\frac{2}{3} - \frac{1}{5} \bigcirc \frac{14}{15}$$

$$\frac{3}{4} - \frac{3}{8} \bigcirc \frac{1}{2}$$

$$\frac{2}{5} - \frac{2}{7} \bigcirc \frac{1}{5} - \frac{1}{9}$$

$$\frac{3}{4} - \frac{1}{6} \bigcirc \frac{4}{5} - \frac{4}{7}$$

3 ☐ 안에 들어갈 수 있는 분수 중에서 단위분수를 모두 찾아 쓰세요.

$$\frac{1}{2} - \frac{1}{3} > \boxed{} > \frac{1}{3} - \frac{1}{4}$$

4 다음 중 두 분수를 사용하여 식을 만들고 계산하세요. (단, 계산 결과는 기약분수로 나타냅니다.)

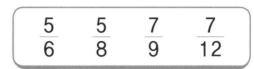

$$\frac{5}{6} \qquad \frac{5}{8} \qquad \frac{7}{9} \qquad \frac{7}{12}$$

차가 가장 큰 식: 식 _____ 답 _____

차가 가장 작은 식: 식 _____ 답 _____

5 정호는 주말 농장에서 고구마를 $\frac{7}{8}$ kg, 감자를 $\frac{7}{10}$ kg 캤습니다. 정호는 고구마를 감자보다 몇 kg 더 캤을까요?

식 _____ 답 _____ kg

6 도희네 집에서 학교와 놀이터와의 거리를 나타낸 것입니다. 도희네 집에서 어느 곳이 몇 km 더 멀까요?

구간	거리
도희네 집 ~ 학교	$\frac{9}{11}$ km
도희네 집 ~ 놀이터	$\frac{6}{7}$ km

식 _____

답 _____ 가 _____ km 더 멉니다.

진분수의 덧셈과 뺄셈

분수의 덧셈과 뺄셈을 알아봅시다.

$$\frac{1}{3}+\frac{3}{5}=\frac{5}{15}+\frac{9}{15}=\frac{14}{15}$$

$$\frac{2}{5}-\frac{1}{3}=\frac{6}{15}-\frac{5}{15}=\frac{1}{15}$$

분모가 다른 분수의 덧셈과 뺄셈은 통분하여 분모를 같게 만들어 계산합니다.

$$\frac{1}{2}+\frac{4}{7}=\frac{\boxed{}}{14}+\frac{\boxed{}}{14}=\frac{\boxed{}}{14}=\boxed{}\frac{\boxed{}}{14}$$

$$\frac{4}{5}-\frac{1}{3}=\frac{\boxed{}}{15}-\frac{\boxed{}}{15}=\frac{\boxed{}}{15}$$

$$\frac{2}{3}+\frac{7}{9}=\frac{\boxed{}}{9}+\frac{\boxed{}}{9}=\frac{\boxed{}}{9}=\boxed{}\frac{\boxed{}}{9}$$

$$\frac{5}{6}-\frac{3}{10}=\frac{\boxed{}}{30}-\frac{\boxed{}}{30}=\frac{\boxed{}}{30}=\frac{\boxed{}}{15}$$

$\dfrac{1}{5} + \dfrac{3}{10}$

계산 결과는 약분하여
기약분수로 나타내고,
가분수이면 대분수로 나타냅니다.

$\dfrac{2}{3} + \dfrac{1}{6}$

$\dfrac{3}{7} - \dfrac{1}{3}$

$\dfrac{1}{3} + \dfrac{1}{4}$

$\dfrac{1}{3} - \dfrac{1}{5}$

$\dfrac{7}{9} + \dfrac{5}{6}$

$\dfrac{3}{4} - \dfrac{3}{5}$

$\dfrac{2}{3} + \dfrac{4}{7}$

$\dfrac{5}{6} - \dfrac{4}{9}$

$\dfrac{1}{4} + \dfrac{5}{8}$

$\dfrac{3}{7} - \dfrac{4}{21}$

1 빈칸에 알맞은 수를 쓰세요. (단, 계산 결과는 기약분수로 나타내고, 가분수는 대분수로 나타냅니다.)

+	$\dfrac{1}{3}$	$\dfrac{1}{4}$
$\dfrac{1}{6}$		
$\dfrac{1}{9}$		

−	$\dfrac{1}{2}$	$\dfrac{2}{3}$
$\dfrac{4}{5}$		
$\dfrac{5}{6}$		

2 다음과 같이 두 분수의 합과 차를 구하세요. (단, 계산 결과는 기약분수로 나타내고, 가분수는 대분수로 나타냅니다.)

$\dfrac{5}{6}$　$\dfrac{3}{4}$

합: $\dfrac{5}{6} + \dfrac{3}{4} = \dfrac{10}{12} + \dfrac{9}{12} = \dfrac{19}{12} = 1\dfrac{7}{12}$

차: $\dfrac{5}{6} - \dfrac{3}{4} = \dfrac{10}{12} - \dfrac{9}{12} = \dfrac{1}{12}$

$\dfrac{5}{8}$　$\dfrac{7}{12}$

합:

차:

3 빈칸에 알맞은 수를 쓰세요. (단, 계산 결과는 기약분수로 나타내고, 가분수는 대분수로 나타냅니다)

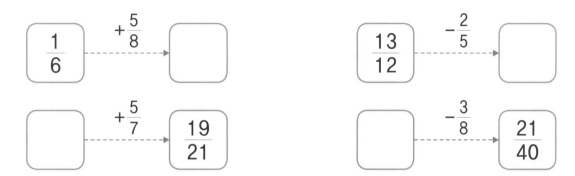

4 수 카드 3장 중에서 2장을 사용하여 만들 수 있는 가장 큰 진분수와 가장 작은 진분수의 합과 차를 구하세요. (단, 계산 결과는 기약분수로 나타내고, 가분수는 대분수로 나타냅니다.)

두 분수의 합: _____

두 분수의 차: _____

두 분수의 합: _____

두 분수의 차: _____

5 길이가 각각 $\dfrac{7}{10}$ m와 $\dfrac{8}{15}$ m인 색 테이프 2장이 있습니다.

두 색 테이프의 길이의 합은 몇 m일까요? (단, 계산 결과는 기약분수로 나타내고, 가분수는 대분수로 나타냅니다.)

식 _____   답 _____ m

두 색 테이프의 길이의 차는 몇 m일까요? (단, 계산 결과는 기약분수로 나타냅니다.)

식 _____   답 _____ m

1 ☐ 안에 들어갈 수 있는 수를 모두 찾아 ◯표 하세요.

$\dfrac{4}{8} + \dfrac{\square}{8} < 1\dfrac{1}{4}$ ┄┄┄ 1 2 3 4 5 6 7 8 9

$\dfrac{9}{11} - \dfrac{\square}{11} > \dfrac{1}{2}$ ┄┄┄ 1 2 3 4 5 6 7 8 9

2 어떤 수에서 $\dfrac{5}{11}$ 를 빼야 할 것을 잘못하여 더했더니 $1\dfrac{3}{11}$ 이 되었습니다. 바르게 계산하면 얼마일까요?

잘못된 식: 식 _____   어떤 수: _____

바르게 계산하기: 식 _____   답 _____

3 빈칸에 알맞은 수를 쓰세요. (단, 기약분수로 나타내고, 가분수는 대분수로 나타냅니다.)

+	$\dfrac{2}{5}$	$\dfrac{5}{7}$
$\dfrac{4}{5}$		
$\dfrac{6}{7}$		

−	$\dfrac{1}{3}$	$\dfrac{2}{9}$
$\dfrac{8}{9}$		
$\dfrac{2}{3}$		

4 계산 결과의 크기를 비교하여 ◯ 안에 >, =, <를 알맞게 넣으세요.

$$\frac{3}{4} + \frac{1}{5} \bigcirc \frac{3}{10} + \frac{1}{2}$$

$$\frac{13}{15} - \frac{1}{3} \bigcirc \frac{11}{15} - \frac{2}{9}$$

5 다음 중 두 수를 사용하여 식을 만들고 계산하세요. (단, 계산 결과는 기약분수로 나타내고, 가분수는 대분수로 나타냅니다.)

$$\frac{1}{3} \qquad \frac{1}{2} \qquad \frac{5}{6} \qquad \frac{7}{8}$$

합이 가장 큰 식: 식 _____ 답 _____

합이 가장 작은 식: 식 _____ 답 _____

차가 가장 큰 식: 식 _____ 답 _____

차가 가장 작은 식: 식 _____ 답 _____

6 빈칸에 알맞은 수를 쓰세요. (단, 기약분수로 나타내고, 가분수는 대분수로 나타냅니다.)

$$\boxed{\frac{2}{7}} \xrightarrow{+\frac{5}{28}} \boxed{}$$

$$\boxed{\frac{15}{16}} \xrightarrow{-\frac{3}{4}} \boxed{}$$

$$\boxed{} \xrightarrow{+\frac{3}{9}} \boxed{\frac{15}{18}}$$

$$\boxed{} \xrightarrow{-\frac{3}{10}} \boxed{\frac{13}{15}}$$

7 수 카드 **3**장 중에서 **2**장을 사용하여 만들 수 있는 가장 큰 진분수와 가장 작은 진분수의 합과 차를 구하세요. (단, 계산 결과는 기약분수로 나타내고, 가분수는 대분수로 나타냅니다.)

| 3 | 9 | 8 |

두 분수의 합: _____

두 분수의 차: _____

| 8 | 12 | 7 |

두 분수의 합: _____

두 분수의 차: _____

8 아이스크림을 만드는 데 필요한 우유는 $\dfrac{5}{6}$ 컵, 쿠키를 만드는 데 필요한 우유는 $\dfrac{7}{9}$ 컵입니다.

아이스크림과 쿠키를 모두 만드는 데 필요한 우유의 양은 몇 컵일까요? (단, 계산 결과는 기약분수로 나타내고, 가분수는 대분수로 나타냅니다.)

식 _____ 답 _____ 컵

아이스크림을 만드는 데 필요한 우유의 양은 쿠키를 만드는 데 필요한 우유의 양보다 얼만큼 더 많을까요? (단, 계산 결과는 기약분수로 나타냅니다.)

식 _____ 답 _____ 컵

4주차

분수의
덧셈과 뺄셈 (2)

대분수의 덧셈과 뺄셈

대분수의 덧셈과 뺄셈 (1)

개념
원리

대분수의 덧셈과 뺄셈을 알아봅시다.

$2\dfrac{2}{3}+1\dfrac{1}{4}$

$=2\dfrac{\boxed{8}}{12}+1\dfrac{\boxed{3}}{12}$

$=(2+1)+(\dfrac{\boxed{8}}{12}+\dfrac{\boxed{3}}{12})$

$=\boxed{3}\dfrac{\boxed{11}}{12}$

$3\dfrac{5}{6}-1\dfrac{3}{4}$

$=3\dfrac{\boxed{10}}{12}-1\dfrac{\boxed{9}}{12}$

$=(3-1)+(\dfrac{\boxed{10}}{12}-\dfrac{\boxed{9}}{12})$

$=\boxed{2}\dfrac{\boxed{1}}{12}$

자연수는 자연수끼리, 분수는 분수끼리 계산합니다.

$1\dfrac{3}{8}+3\dfrac{1}{2}$

$=1\dfrac{\boxed{}}{8}+3\dfrac{\boxed{}}{8}$

$=(1+3)+(\dfrac{\boxed{}}{8}+\dfrac{\boxed{}}{8})$

$=\boxed{}\dfrac{\boxed{}}{8}$

$3\dfrac{1}{2}-2\dfrac{1}{3}$

$=3\dfrac{\boxed{}}{6}-2\dfrac{\boxed{}}{6}$

$=(3-2)+(\dfrac{\boxed{}}{6}-\dfrac{\boxed{}}{6})$

$=\boxed{}\dfrac{\boxed{}}{6}$

$1\dfrac{2}{11}+\dfrac{1}{3}$

$7\dfrac{2}{3}-\dfrac{1}{4}$

$1\dfrac{1}{6}+\dfrac{3}{8}$

$5\dfrac{2}{5}-\dfrac{2}{7}$

$2\dfrac{2}{3}+3\dfrac{1}{4}$

$4\dfrac{3}{4}-2\dfrac{3}{8}$

$4\dfrac{3}{5}+2\dfrac{3}{10}$

$3\dfrac{5}{6}-2\dfrac{1}{3}$

$6\dfrac{2}{5}+2\dfrac{1}{3}$

$4\dfrac{5}{6}-1\dfrac{1}{9}$

$2\dfrac{4}{9}+3\dfrac{1}{6}$

$5\dfrac{3}{4}-2\dfrac{1}{6}$

1 계산 결과의 크기를 비교하여 ○ 안에 >, =, <를 알맞게 넣으세요.

$$4\frac{4}{7} + 2\frac{2}{9} \bigcirc 6$$

$$9\frac{8}{9} - 5\frac{2}{7} \bigcirc 5$$

$$3\frac{2}{5} + 1\frac{3}{10} \bigcirc 4\frac{3}{5}$$

$$7\frac{5}{6} - 3\frac{1}{3} \bigcirc 4\frac{1}{2}$$

2 □ 안에 알맞은 분수를 쓰세요.

$$\boxed{} + 1\frac{1}{4} = 7\frac{19}{28}$$

$$8\frac{7}{8} - \boxed{} = 1\frac{1}{24}$$

3 6개의 분수가 있습니다. 가장 큰 분수와 가장 작은 분수의 합과 차를 각각 구하세요.

$$4\frac{1}{2} \qquad 3\frac{1}{12} \qquad 4\frac{3}{4} \qquad 3\frac{1}{6} \qquad 4\frac{2}{3} \qquad 3\frac{17}{24}$$

합: _____ , 차: _____

4 다음은 두 대분수를 가분수로 고쳐 합과 차를 구한 것입니다. 같은 방법으로 두 대분수를 가분수로 고쳐 합과 차를 구하세요.

> 합 $3\frac{5}{6}+1\frac{1}{4}=\frac{23}{6}+\frac{5}{4}=\frac{46}{12}+\frac{15}{12}=\frac{61}{12}=5\frac{1}{12}$
>
> 차 $3\frac{5}{6}-1\frac{1}{4}=\frac{23}{6}-\frac{5}{4}=\frac{46}{12}-\frac{15}{12}=\frac{31}{12}=2\frac{7}{12}$

합 $4\frac{4}{5}+1\frac{1}{2}=$

차 $4\frac{4}{5}-1\frac{1}{2}=$

5 미술 시간에 찰흙으로 만들기를 합니다. 찰흙을 지수는 $4\frac{5}{8}$ kg 사용하였고, 민주는 $3\frac{1}{4}$ kg 사용하였습니다.

지수와 민주가 사용한 찰흙은 모두 몇 kg일까요?

식 _____   답 _____ kg

지수는 민주보다 찰흙을 몇 kg 더 사용하였을까요?

식 _____   답 _____ kg

자연수와 대분수의 덧셈과 뺄셈

개념
원리

자연수와 대분수의 덧셈과 뺄셈을 알아봅시다.

$$3\frac{1}{3}+2=\boxed{3}+\frac{1}{3}+2$$

$$=\boxed{5}+\frac{\boxed{1}}{3}$$

$$=\boxed{5}\frac{\boxed{1}}{3}$$

자연수와 대분수의 덧셈은
자연수끼리 더한 후 분수를 더합니다.

$$5-2\frac{1}{3}=4+\frac{\boxed{3}}{3}-2\frac{1}{3}$$

$$=(4-2)+(\frac{\boxed{3}}{3}-\frac{\boxed{1}}{3})$$

$$=\boxed{2}\frac{\boxed{2}}{3}$$

자연수에서 분수를 뺄 때에는
자연수의 1 만큼을 가분수로 바꾸어 계산합니다.

$$5\frac{5}{9}+3=\boxed{}+\frac{5}{9}+3$$

$$=\boxed{}+\frac{\boxed{}}{9}$$

$$=\boxed{}\frac{\boxed{}}{9}$$

$$6\frac{2}{7}-4=\boxed{}+\frac{2}{7}-4$$

$$=\boxed{}+\frac{\boxed{}}{7}$$

$$=\boxed{}\frac{\boxed{}}{7}$$

$$7+2\frac{7}{8}=7+\boxed{}+\frac{7}{8}$$

$$=\boxed{}+\frac{\boxed{}}{8}$$

$$=\boxed{}\frac{\boxed{}}{8}$$

$$9-5\frac{1}{4}=8+\frac{\boxed{}}{4}-5\frac{3}{4}$$

$$=(8-5)+(\frac{\boxed{}}{4}-\frac{\boxed{}}{4})$$

$$=\boxed{}\frac{\boxed{}}{4}$$

$1\dfrac{6}{7}+8$

$5\dfrac{5}{9}-3$

$4\dfrac{5}{9}+3$

$9\dfrac{7}{9}-6$

$6+1\dfrac{2}{3}$

$7-6\dfrac{2}{5}$

$3+3\dfrac{5}{8}$

$5-1\dfrac{7}{8}$

$5+4\dfrac{6}{7}$

$8-3\dfrac{4}{9}$

$2+8\dfrac{9}{10}$

$6-2\dfrac{6}{11}$

1 분수와 자연수의 덧셈과 뺄셈을 하여 빈칸에 알맞은 수를 쓰세요.

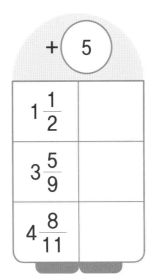

$+$ 5	
$1\frac{1}{2}$	
$3\frac{5}{9}$	
$4\frac{8}{11}$	

$-$ $1\frac{4}{9}$	
2	
5	
10	

2 다음과 같이 주어진 수를 한 번씩 모두 사용하여 계산 결과가 가장 큰 (자연수) $-$ (대분수)의 식을 만들고 계산하세요.

$9 - 2\frac{5}{7} = 6\frac{2}{7}$

⑶ ⑽ ① ⑧

⑺ ⑹ ② ⑧

3 분수와 자연수의 덧셈과 뺄셈을 하여 빈칸에 알맞은 수를 쓰세요.

+	$6\frac{1}{2}$	
$8\frac{1}{2}$		
5		$8\frac{5}{7}$

−		$4\frac{2}{5}$
6	$3\frac{2}{3}$	
		$4\frac{3}{5}$

4 자연수 7에 어떤 분수를 더해야 할 것을 잘못하여 뺐더니 $5\frac{3}{7}$ 이 되었습니다. 바르게 계산하면 얼마일까요?

잘못된 식: 식 _____   어떤 수: _____

바르게 계산하기: 식 _____   답 _____

5 물통에 물이 5 L 들어 있었습니다. 이 중 $2\frac{1}{6}$ L를 사용하였습니다. 남은 물은 몇 L일까요?

식 _____   답 _____ L

대분수의 덧셈과 뺄셈 (2)

개념
원리

대분수의 덧셈과 뺄셈을 알아봅시다.

$3\dfrac{4}{5}+2\dfrac{1}{2}$

$=\boxed{3}\dfrac{\boxed{8}}{10}+\boxed{2}\dfrac{\boxed{5}}{10}$

$=(3+2)+(\dfrac{\boxed{8}}{10}+\dfrac{\boxed{5}}{10})$

$=\boxed{5}\dfrac{\boxed{13}}{10}=\boxed{6}\dfrac{\boxed{3}}{10}$

대분수끼리의 덧셈에서 계산한 결과 값의 분수 부분이
1보다 크면 자연수에 1을 더해 주고 진분수로 만듭니다.

$4\dfrac{3}{10}-1\dfrac{3}{5}$

$=4\dfrac{\boxed{3}}{10}-1\dfrac{\boxed{6}}{10}$

$=3\dfrac{\boxed{13}}{10}-1\dfrac{\boxed{6}}{10}$

$=(3-1)+(\dfrac{\boxed{13}}{10}-\dfrac{\boxed{6}}{10})$

$=\boxed{2}\dfrac{\boxed{7}}{10}$

분수 부분끼리 뺄 수 없을 때에는 빼지는 분수의
자연수에서 1만큼을 가분수로 바꿉니다.

$1\dfrac{3}{7}+3\dfrac{2}{3}$

$=1\dfrac{\boxed{}}{21}+3\dfrac{\boxed{}}{21}$

$=(1+3)+(\dfrac{\boxed{}}{21}+\dfrac{\boxed{}}{21})$

$=\boxed{}\dfrac{\boxed{}}{21}=\boxed{}\dfrac{\boxed{}}{21}$

$5\dfrac{1}{2}-2\dfrac{5}{7}$

$=5\dfrac{\boxed{}}{14}-2\dfrac{\boxed{}}{14}$

$=4\dfrac{\boxed{}}{14}-2\dfrac{\boxed{}}{14}$

$=(4-2)+(\dfrac{\boxed{}}{14}-\dfrac{\boxed{}}{14})$

$=\boxed{}\dfrac{\boxed{}}{14}$

$1\dfrac{4}{9}+\dfrac{3}{4}$

$1\dfrac{4}{9}-\dfrac{3}{4}$

$1\dfrac{1}{2}+\dfrac{7}{8}$

$1\dfrac{1}{2}-\dfrac{7}{8}$

$1\dfrac{1}{4}+3\dfrac{5}{6}$

$8\dfrac{3}{5}-5\dfrac{9}{10}$

$1\dfrac{8}{10}+3\dfrac{13}{15}$

$4\dfrac{1}{4}-2\dfrac{2}{3}$

$2\dfrac{11}{15}+1\dfrac{1}{3}$

$5\dfrac{1}{2}-1\dfrac{3}{4}$

$6\dfrac{1}{2}+2\dfrac{4}{5}$

$6\dfrac{2}{7}-3\dfrac{7}{8}$

1 계산 결과의 크기를 비교하여 ◯ 안에 >, =, <를 알맞게 넣으세요.

$3\dfrac{5}{9}+1\dfrac{2}{3}$ ◯ $2\dfrac{8}{9}+2\dfrac{1}{3}$ $1\dfrac{5}{14}+5\dfrac{6}{7}$ ◯ $10\dfrac{2}{7}-2\dfrac{7}{14}$

$1\dfrac{13}{15}+3\dfrac{7}{10}$ ◯ $9\dfrac{2}{5}-4\dfrac{9}{10}$ $7\dfrac{1}{6}-4\dfrac{3}{4}$ ◯ $5\dfrac{1}{4}-2\dfrac{5}{6}$

2 ☐ 안에 알맞은 분수를 쓰세요.

$\boxed{}+5\dfrac{5}{6}=9\dfrac{7}{18}$ $7\dfrac{3}{8}-\boxed{}=2\dfrac{11}{24}$

3 다음 수 카드를 한 장씩 모두 사용하여 만들 수 있는 가장 큰 대분수와 가장 작은 대분수를 쓰고, 두 대분수의 합과 차를 구하세요.

$\boxed{6}\ \boxed{2}\ \boxed{5}$ $\boxed{8}\ \boxed{5}\ \boxed{3}$

가장 큰 대분수: _____   가장 큰 대분수: _____

가장 작은 대분수: _____   가장 작은 대분수: _____

두 분수의 합: _____   두 분수의 합: _____

두 분수의 차: _____   두 분수의 차: _____

4 다음과 같이 2가지 방법으로 계산을 하세요.

> **방법1** 자연수는 자연수끼리, 분수는 분수끼리 계산합니다.
>
> $$3\frac{1}{4} - 1\frac{1}{3} = 3\frac{3}{12} - 1\frac{4}{12} = 2\frac{15}{12} - 1\frac{4}{12} = 1\frac{11}{12}$$
>
> **방법2** 대분수를 가분수로 고쳐서 계산합니다.
>
> $$3\frac{1}{4} - 1\frac{1}{3} = \frac{13}{4} - \frac{4}{3} = \frac{39}{12} - \frac{16}{12} = \frac{23}{12} = 1\frac{11}{12}$$

방법1 $3\dfrac{2}{5} - 1\dfrac{2}{3} =$

방법2 $3\dfrac{2}{5} - 1\dfrac{2}{3} =$

5 색 테이프를 두 도막으로 잘랐더니 한 도막은 $3\dfrac{3}{4}$ m이고, 다른 한 도막은 $1\dfrac{5}{6}$ m입니다.

색 테이프를 자르기 전의 길이는 몇 m일까요?

식   답   m

긴 도막은 짧은 도막보다 몇 m 더 길까요?

식   답   m

C 400

세 분수의 덧셈과 뺄셈

개념
원리

세 분수의 덧셈과 뺄셈을 알아봅시다.

$$5\frac{1}{4}-1\frac{11}{12}+2\frac{1}{6}=5\frac{\boxed{3}}{12}-1\frac{\boxed{11}}{12}+2\frac{\boxed{2}}{12}$$

$$=4\frac{\boxed{15}}{12}-1\frac{\boxed{11}}{12}+2\frac{\boxed{2}}{12}$$

$$=(4-1+2)+(\frac{\boxed{15}}{12}-\frac{\boxed{11}}{12}+\frac{\boxed{2}}{12})=\boxed{5}\frac{\boxed{1}}{2}$$

통분하여 분모를 같게 한 후 자연수는 자연수끼리, 분수는 분수끼리 계산합니다.

분수 부분끼리 뺄 수 없을 때에는 빼지는 분수의 자연수에서 1만큼을 가분수로 바꿉니다.

$$8\frac{3}{4}-2\frac{5}{6}-1\frac{2}{3}=8\frac{\boxed{}}{12}-2\frac{\boxed{}}{12}-1\frac{\boxed{}}{12}$$

$$=7\frac{\boxed{}}{12}-2\frac{\boxed{}}{12}-1\frac{\boxed{}}{12}$$

$$=(7-2-1)+(\frac{\boxed{}}{12}-\frac{\boxed{}}{12}-\frac{\boxed{}}{12})=\boxed{}\frac{\boxed{}}{4}$$

$$4\frac{1}{2}+7\frac{1}{4}-3\frac{7}{8}=4\frac{\boxed{}}{8}+7\frac{\boxed{}}{8}-3\frac{\boxed{}}{8}$$

$$=4\frac{\boxed{}}{8}+6\frac{\boxed{}}{8}-3\frac{\boxed{}}{8}$$

$$=(4+6-3)+(\frac{\boxed{}}{8}+\frac{\boxed{}}{8}-\frac{\boxed{}}{8})=\boxed{}\frac{\boxed{}}{8}$$

$$4\frac{1}{6}+\frac{3}{8}+1\frac{5}{12}$$

$$4\frac{4}{9}+3+1\frac{2}{3}$$

$$2\frac{5}{6}+1\frac{3}{4}+2\frac{1}{3}$$

$$7+3\frac{1}{2}-5\frac{4}{5}$$

$$5\frac{7}{8}+\frac{3}{4}-3\frac{1}{2}$$

$$3\frac{4}{5}+2\frac{1}{3}-1\frac{1}{6}$$

$$9\frac{1}{15}-5+1\frac{8}{9}$$

$$4\frac{2}{5}-2\frac{3}{4}+1\frac{1}{10}$$

$$10\frac{1}{2}-2\frac{9}{10}+1\frac{7}{20}$$

$$3\frac{7}{9}-\frac{4}{5}-1\frac{11}{15}$$

$$5\frac{7}{8}-1\frac{1}{6}-2\frac{5}{12}$$

$$8\frac{1}{3}-3\frac{1}{3}-2\frac{1}{6}$$

1 빈칸에 알맞은 분수를 쓰세요.

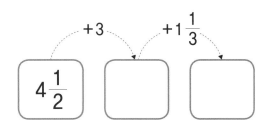

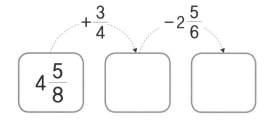

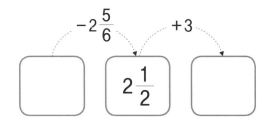

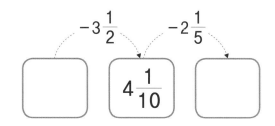

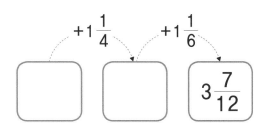

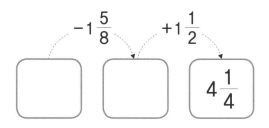

2 13 L의 수조에 $5\frac{4}{9}$ L의 물이 들어 있습니다. 이 수조에 $3\frac{1}{6}$ L의 물을 더 부으면 몇 L의 물을 더 부을 수 있을까요?

식 _____   답 _____ L

3　다음과 같이 2가지 방법으로 계산을 하세요.

> 방법1　세 분수를 한 번에 통분하여 계산합니다.
>
> $$3\frac{1}{4}+2\frac{1}{2}-1\frac{1}{3}=3\frac{3}{12}+2\frac{6}{12}-1\frac{4}{12}$$
>
> $$=(3+2-1)+(\frac{3}{12}+\frac{6}{12}-\frac{4}{12})=4\frac{5}{12}$$
>
> 방법2　앞의 두 분수를 계산하고, 그 결과값과 남은 분수를 계산합니다.
>
> $$3\frac{1}{4}+2\frac{1}{2}-1\frac{1}{3}=(3\frac{1}{4}+2\frac{2}{4})-1\frac{1}{3}$$
>
> $$=5\frac{3}{4}-1\frac{4}{12}=5\frac{9}{12}-1\frac{4}{12}=4\frac{5}{12}$$

방법1　$5\dfrac{5}{6}-3\dfrac{2}{3}+4\dfrac{7}{9}=$

방법2　$5\dfrac{5}{6}-3\dfrac{2}{3}+4\dfrac{7}{9}=$

4　길이가 각각 $8\dfrac{5}{6}$ cm, $5\dfrac{1}{3}$ cm인 두 리본을 겹쳐서 이어 붙였습니다. 이어 붙인 길이가 $10\dfrac{4}{9}$ cm 일 때, 겹쳐진 부분의 길이는 몇 cm일까요?

cm

1 ☐ 안에 알맞은 분수를 쓰세요.

$$\boxed{} + 2\frac{3}{5} = 5\frac{11}{15}$$

$$6\frac{8}{21} - \boxed{} = 4\frac{1}{7}$$

2 자연수 5에 어떤 분수를 빼야 할 것을 잘못하여 더하였더니 $7\frac{5}{9}$ 가 되었습니다. 바르게 계산하면 얼마일까요?

잘못된 식: 식 _____

어떤 수: _____

바르게 계산하기: 식 _____

답 _____

3 다음과 같이 주어진 수를 한 번씩 모두 사용하여 계산 결과가 가장 큰 (자연수) − (대분수)의 식을 만들고 계산하세요.

$$6 - 2\frac{4}{5} = 3\frac{1}{5}$$

_____

4 계산 결과의 크기를 비교하여 ◯ 안에 >, =, <를 알맞게 넣으세요.

$$2\frac{3}{5}+1\frac{7}{15}\bigcirc 7\frac{2}{9}-3\frac{1}{3}$$

$$9\frac{3}{8}-2\frac{3}{4}\bigcirc 2\frac{1}{2}+3\frac{7}{8}$$

5 2가지 방법으로 계산을 하세요.

방법1 자연수는 자연수끼리, 분수는 분수끼리 계산합니다.

$$3\frac{1}{3}-1\frac{3}{4}=$$

방법2 대분수를 가분수로 고쳐서 계산합니다.

$$3\frac{1}{3}-1\frac{3}{4}=$$

6 다음 수 카드를 한 장씩 모두 사용하여 만들 수 있는 가장 큰 대분수와 가장 작은 대분수를 쓰고, 두 대분수의 합과 차를 구하세요.

가장 큰 대분수: _____ 가장 작은 대분수: _____

두 분수의 합: _____ 두 분수의 차: _____

7 빈칸에 알맞은 수를 쓰세요.

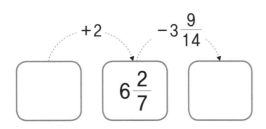

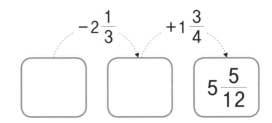

8 미술 시간에 지혜는 리본 $5\frac{4}{9}$ m를 사용하였고, 소영이는 $2\frac{5}{6}$ m를 사용하였습니다.

지혜와 소영이가 사용한 리본은 모두 몇 m일까요?

식 _____   답 _____ m

지혜는 소영이보다 리본을 몇 m 더 사용하였을까요?

식 _____   답 _____ m

9 할머니께서 매실 주스를 5 L 담아 오셨습니다. 상현이가 $1\frac{1}{6}$ L, 혜연이가 $1\frac{3}{10}$ L를 마셨다면 남은 매실 주스는 몇 L일까요?

식 _____   답 _____ L

응용연산

E1
초5~초6

분수의 덧셈과 뺄셈

Creative to Math
씨투엠

기약분수

C 385 크기가 같은 분수

크기가 같은 분수를 만들어 봅시다.

$$\frac{2}{3} \overset{\times 3}{\underset{\times 3}{=}} \frac{6}{9}$$

$$\frac{2}{4} \overset{\div 2}{\underset{\div 2}{=}} \frac{1}{2}$$

분모와 분자에 0이 아닌 같은 수를 곱하면 크기가 같은 분수가 됩니다.

분모와 분자를 0이 아닌 같은 수로 나누면 크기가 같은 분수가 됩니다.

$$\frac{3}{5} \overset{\times 3}{\underset{\times 3}{=}} \frac{9}{15}$$

$$\frac{4}{9} \overset{\times 2}{\underset{\times 2}{=}} \frac{8}{18}$$

$$\frac{2}{7} \overset{\times 4}{\underset{\times 4}{=}} \frac{8}{28}$$

$$\frac{12}{15} \overset{\div 3}{\underset{\div 3}{=}} \frac{4}{5}$$

$$\frac{15}{20} \overset{\div 5}{\underset{\div 5}{=}} \frac{3}{4}$$

$$\frac{20}{24} \overset{\div 4}{\underset{\div 4}{=}} \frac{5}{6}$$

$\dfrac{1}{4}=\dfrac{5}{20}$ $\dfrac{3}{8}=\dfrac{9}{24}$ $\dfrac{2}{7}=\dfrac{6}{21}$

$\dfrac{1}{6}=\dfrac{3}{18}$ $\dfrac{4}{5}=\dfrac{8}{10}$ $\dfrac{5}{9}=\dfrac{20}{36}$

$2\dfrac{2}{3}=2\dfrac{8}{12}$ $1\dfrac{3}{4}=1\dfrac{12}{16}$ $5\dfrac{3}{5}=5\dfrac{9}{15}$

$\dfrac{20}{25}=\dfrac{4}{5}$ $\dfrac{15}{27}=\dfrac{5}{9}$ $\dfrac{9}{12}=\dfrac{3}{4}$

$\dfrac{18}{22}=\dfrac{9}{11}$ $\dfrac{16}{32}=\dfrac{1}{2}$ $\dfrac{8}{20}=\dfrac{2}{5}$

$7\dfrac{12}{18}=7\dfrac{2}{3}$ $1\dfrac{21}{30}=1\dfrac{7}{10}$ $2\dfrac{20}{45}=2\dfrac{4}{9}$

응용연산

1 □안에 알맞은 수를 써넣어 크기가 같은 분수를 만드세요.

$$\frac{2}{5}=\frac{4}{10}=\frac{6}{15}=\frac{8}{20}=\frac{10}{25}$$

$$2\frac{16}{32}=2\frac{8}{16}=2\frac{4}{8}=2\frac{2}{4}=2\frac{1}{2}$$

2 왼쪽 분수와 크기가 같은 분수를 모두 찾아 ○표 하세요.

$\dfrac{3}{7}$ ➡ $\dfrac{6}{10}$ $\dfrac{9}{14}$ ⟨$\dfrac{6}{14}$⟩ ⟨$\dfrac{9}{21}$⟩ $\dfrac{15}{28}$ ⟨$\dfrac{12}{28}$⟩

$\dfrac{24}{32}$ ➡ ⟨$\dfrac{12}{16}$⟩ $\dfrac{8}{10}$ ⟨$\dfrac{6}{8}$⟩ $\dfrac{4}{5}$ $\dfrac{2}{3}$ ⟨$\dfrac{3}{4}$⟩

3 $\dfrac{3}{5}$ 과 크기가 같은 분수 중에서 분모와 분자의 합이 20보다 크고 40보다 작은 분수를 모두 쓰세요.

$$\frac{9}{15} , \frac{12}{20}$$

4 다음은 수 카드를 한 장씩 모두 사용하여 크기가 같은 진분수 2개를 만든 것입니다. 같은 방법으로 크기가 같은 진분수 2개를 만드세요.

1 2 4 6 8 $\dfrac{8}{1\;6}=\dfrac{2}{4}$

1 2 3 4 9

$$\frac{9}{1\;2}=\frac{3}{4}$$

또는 $\dfrac{4}{12}=\dfrac{3}{9}$

2 3 6 8 9

$$\frac{9}{3\;6}=\frac{2}{8}$$

5 분모가 30보다 크고 50보다 작은 수 중에서 $\dfrac{5}{6}$ 와 크기가 같은 분수를 모두 쓰세요.

$$\frac{30}{36} , \frac{35}{42} , \frac{40}{48}$$

6 승호는 피자를 똑같이 5조각으로 나누어 2조각을 먹었습니다. 종수는 같은 크기의 피자를 똑같이 15조각으로 나누었습니다. 승호와 같은 양을 먹으려면 종수는 몇 조각을 먹어야 할까요?

$$\frac{2}{5}=\frac{6}{15}$$

6 조각

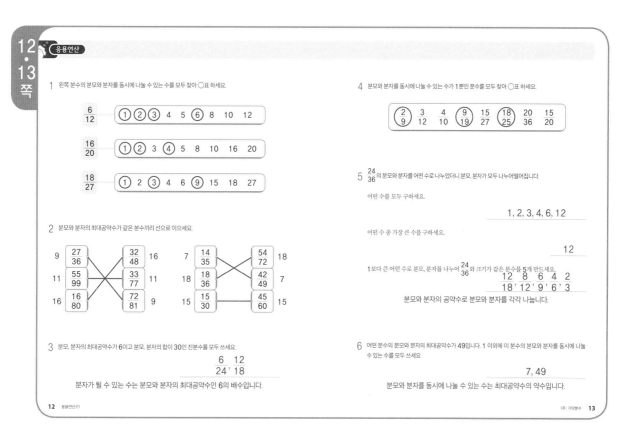

C 2일 386 분모와 분자의 공약수

개념원리

분모, 분자의 공약수와 최대공약수를 구해 봅시다.

$\frac{8}{12}$

분자 8의 약수: 1, 2, 4, 8

분모 12의 약수: 1, 2, 3, 4, 6, 12

분모, 분자의 공약수: 1, 2, 4

분모, 분자의 최대공약수: 4

분모와 분자의 공약수는 분모, 분자를 동시에 나눌 수 있습니다.
분모와 분자의 최대공약수는 공약수 중 가장 큰 수입니다.

$\frac{15}{18}$

분자 15의 약수: 1, 3, 5, 15

분모 18의 약수: 1, 2, 3, 6, 9, 18

분모, 분자의 공약수: 1, 3

분모, 분자의 최대공약수: 3

$\frac{24}{30}$

분자 24의 약수: 1, 2, 3, 4, 6, 8, 12, 24

분모 30의 약수: 1, 2, 3, 5, 6, 10, 15, 30

분모, 분자의 공약수: 1, 2, 3, 6

분모, 분자의 최대공약수: 6

$\frac{42}{90}$

분자 42의 약수: 1, 2, 3, 6, 7, 14, 21, 42

분모 90의 약수: 1, 2, 3, 5, 6, 9, 10, 15, 18, 30, 45, 90

분모, 분자의 공약수: 1, 2, 3, 6

분모, 분자의 최대공약수: 6

분모와 분자의 공약수를 구하고
최대공약수에 ○표 합니다.

$\frac{12}{18}$ 1, 2, 3, ⑥

$\frac{15}{45}$ 1, 3, 5, ⑮

$\frac{30}{48}$ 1, 2, 3, ⑥ $\frac{16}{20}$ 1, 2, ④

$\frac{12}{36}$ 1, 2, 3, 4, 6, ⑫ $\frac{18}{27}$ 1, 3, ⑨

$\frac{32}{48}$ 1, 2, 4, 8, ⑯ $\frac{36}{54}$ 1, 2, 3, 6, 9, ⑱

$\frac{42}{90}$ 1, 2, 3, ⑥ $\frac{48}{72}$ 1, 2, 3, 4, 6, 8, 12, ㉔

응용연산

1 왼쪽 분수의 분모와 분자를 동시에 나눌 수 있는 수를 모두 찾아 ○표 하세요.

$\frac{6}{12}$ ① ② ③ 4 5 ⑥ 8 10 12

$\frac{16}{20}$ ① ② 3 ④ 5 8 10 16 20

$\frac{18}{27}$ ① 2 ③ 4 6 ⑨ 15 18 27

4 분모와 분자를 동시에 나눌 수 있는 수가 1뿐인 분수를 모두 찾아 ○표 하세요.

$\frac{2}{9}$ $\frac{3}{12}$ $\frac{4}{10}$ $\frac{9}{19}$ $\frac{15}{27}$ $\frac{18}{25}$ $\frac{20}{36}$ $\frac{15}{20}$

(○표: $\frac{2}{9}$, $\frac{9}{19}$, $\frac{18}{25}$)

2 분모와 분자의 최대공약수가 같은 분수끼리 선으로 이으세요.

9 $\frac{27}{36}$ $\frac{32}{48}$ 16

11 $\frac{55}{99}$ $\frac{33}{77}$ 11

16 $\frac{16}{80}$ $\frac{72}{81}$ 9

7 $\frac{14}{35}$ $\frac{54}{72}$ 18

18 $\frac{18}{36}$ $\frac{42}{49}$ 7

15 $\frac{15}{30}$ $\frac{45}{60}$ 15

5 $\frac{24}{36}$의 분모와 분자를 어떤 수로 나누었더니 분모, 분자가 모두 나누어떨어집니다.

어떤 수를 모두 구하세요.

1, 2, 3, 4, 6, 12

어떤 수 중 가장 큰 수를 구하세요.

12

1보다 큰 어떤 수로 분모, 분자를 나누어 $\frac{24}{36}$와 크기가 같은 분수를 5개 만드세요.

$\frac{12}{18}$, $\frac{8}{12}$, $\frac{6}{9}$, $\frac{4}{6}$, $\frac{2}{3}$

분모와 분자의 공약수로 분모와 분자를 각각 나눕니다.

3 분모, 분자의 최대공약수가 6이고 분모, 분자의 합이 30인 진분수를 모두 쓰세요.

$\frac{6}{24}$, $\frac{12}{18}$

분자가 될 수 있는 수는 분모와 분자의 최대공약수인 6의 배수입니다.

6 어떤 분수의 분모와 분자의 최대공약수는 49입니다. 1 이외에 이 분수의 분모와 분자를 동시에 나눌 수 있는 수를 모두 쓰세요.

7, 49

분모와 분자를 동시에 나눌 수 있는 수는 최대공약수의 약수입니다.

14·15쪽

387 C 약분하기 3일

( ) 안의 수는 분모와 분자의 공약수입니다. 분모와 분자를 공약수로 나누어 약분하여 봅시다.

$\dfrac{24}{60} = \dfrac{12}{\boxed{30}}$ (2)

$\dfrac{24}{60} = \dfrac{\boxed{8}}{20}$ (3)

$\dfrac{24}{60} = \dfrac{4}{\boxed{10}}$ (6)

$\dfrac{24}{60} = \dfrac{2}{5}$ (12)

분모와 분자를 1 이외의 공약수로 나누어 간단히 하는 것을 약분한다고 합니다.

$\dfrac{24}{60} = \dfrac{24 \div 2}{60 \div 2} = \dfrac{12}{30}$ (2)

$\dfrac{24}{60} = \dfrac{24 \div 3}{60 \div 3} = \dfrac{8}{20}$ (3)

$\dfrac{18}{30} = \dfrac{9}{\boxed{15}}$ (2)

$\dfrac{18}{30} = \dfrac{\boxed{6}}{10}$ (3)

$\dfrac{18}{30} = \dfrac{\boxed{3}}{5}$ (6)

$\dfrac{20}{50} = \dfrac{10}{\boxed{25}}$ (2)

$\dfrac{20}{50} = \dfrac{\boxed{4}}{10}$ (5)

$\dfrac{20}{50} = \dfrac{2}{5}$ (10)

$\dfrac{8}{24} = \dfrac{4}{12}$

$\dfrac{8}{24} = \dfrac{2}{6}$

$\dfrac{8}{24} = \dfrac{1}{3}$

$\dfrac{30}{36} = \dfrac{\boxed{15}}{18}$

$\dfrac{30}{36} = \dfrac{10}{\boxed{12}}$

$\dfrac{30}{36} = \dfrac{\boxed{5}}{6}$

$\dfrac{30}{72} = \dfrac{\boxed{5}}{12}$

$\dfrac{30}{72} = \dfrac{10}{\boxed{24}}$

$\dfrac{30}{72} = \dfrac{\boxed{15}}{36}$

$\dfrac{14}{49} = \dfrac{\boxed{2}}{7}$

$\dfrac{15}{35} = \dfrac{\boxed{3}}{7}$

$\dfrac{15}{33} = \dfrac{\boxed{5}}{11}$

$\dfrac{6}{14} = \dfrac{\boxed{3}}{7}$

$\dfrac{20}{25} = \dfrac{\boxed{4}}{5}$

$\dfrac{9}{12} = \dfrac{\boxed{3}}{4}$

$\dfrac{7}{35} = \dfrac{\boxed{1}}{5}$

$\dfrac{33}{44} = \dfrac{\boxed{3}}{4}$

$\dfrac{21}{35} = \dfrac{\boxed{3}}{5}$

16·17쪽

응용연산

1 왼쪽 분수를 약분한 분수가 아닌 것을 모두 찾아 ✕표 하세요.

$\dfrac{16}{24}$ | $\dfrac{2}{3}$ | $\cancel{\dfrac{3}{4}}$ | $\dfrac{4}{6}$ | $\cancel{\dfrac{6}{14}}$ | $\dfrac{8}{12}$

$\dfrac{24}{40}$ | $\dfrac{3}{5}$ | $\dfrac{6}{10}$ | $\cancel{\dfrac{8}{15}}$ | $\dfrac{12}{20}$ | $\cancel{\dfrac{14}{30}}$

2 다음 조건에 맞는 분수를 쓰세요.

· $\dfrac{40}{64}$ 를 약분한 분수입니다. ➡ $\dfrac{20}{32}, \dfrac{10}{16}, \dfrac{5}{8}$
· 분모, 분자의 합이 20보다 큽니다.
· 분모는 20보다 작습니다.

➡ $\dfrac{10}{16}$

· $\dfrac{18}{24}$ 을 약분한 분수입니다. ➡ $\dfrac{9}{12}, \dfrac{6}{8}, \dfrac{3}{4}$
· 분모와 분자의 공약수가 1뿐입니다.

➡ $\dfrac{3}{4}$

3 $\dfrac{12}{30}$ 를 약분하려고 합니다. 분모와 분자를 동시에 나눌 수 있는 수를 모두 쓰세요.

2, 3, 6

4 약분한 분수를 모두 쓰세요.

$\dfrac{12}{18}$

$\dfrac{6}{9}, \dfrac{4}{6}, \dfrac{2}{3}$

$\dfrac{16}{48}$

$\dfrac{8}{24}, \dfrac{4}{12}, \dfrac{2}{6}, \dfrac{1}{3}$

5 약분이 되지 않는 분수를 모두 찾아 ○표 하세요.

$\boxed{\dfrac{9}{14}}$ | $\dfrac{12}{15}$ | $\boxed{\dfrac{11}{16}}$ | $\dfrac{15}{25}$ | $\dfrac{45}{63}$ | $\boxed{\dfrac{14}{45}}$ | $\dfrac{21}{54}$

6 약분에 대해 바르게 말한 사람을 모두 찾아 이름을 쓰세요.

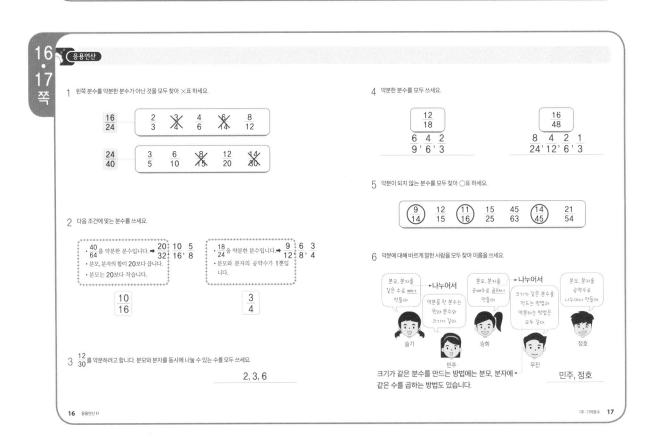

슬기: 분모, 분자를 같은 수로 빼서 만들어

민주: 약분을 한 분수는 원래 분수와 크기가 같아

승희: 분모, 분자를 공배수로 곱해서 만들어

우진: 크기가 같은 분수를 만드는 방법과 약분하는 방법은 모두 같아

정호: 분모, 분자를 공약수로 나누어서 만들어

크기가 같은 분수를 만드는 방법에는 분모, 분자에 같은 수를 곱하는 방법도 있습니다.

민주, 정호

기약분수

분수를 기약분수로 나타내어 봅시다.

$$\frac{28}{40} = \frac{28 \div \boxed{4}}{40 \div \boxed{4}} = \frac{\boxed{7}}{\boxed{10}} \qquad \frac{18}{42} = \frac{18 \div \boxed{6}}{42 \div \boxed{6}} = \frac{\boxed{3}}{\boxed{7}}$$

분모와 분자의 공약수가 1뿐인 분수를 기약분수라고 합니다.
기약분수로 나타낼 때에는 분모와 분자의 최대공약수로 분모와 분자를 나누어줍니다.

$$\frac{28}{40} = \frac{28 \div 4}{40 \div 4} = \frac{7}{10}$$

$$\frac{20}{32} = \frac{20 \div \boxed{4}}{32 \div \boxed{4}} = \frac{\boxed{5}}{\boxed{8}} \qquad \frac{16}{28} = \frac{16 \div \boxed{4}}{28 \div \boxed{4}} = \frac{\boxed{4}}{\boxed{7}}$$

$$\frac{36}{72} = \frac{36 \div \boxed{36}}{72 \div \boxed{36}} = \frac{\boxed{1}}{\boxed{2}} \qquad \frac{40}{48} = \frac{40 \div \boxed{8}}{48 \div \boxed{8}} = \frac{\boxed{5}}{\boxed{6}}$$

$$\frac{18}{45} = \frac{18 \div \boxed{9}}{45 \div \boxed{9}} = \frac{\boxed{2}}{\boxed{5}} \qquad \frac{54}{72} = \frac{54 \div \boxed{18}}{72 \div \boxed{18}} = \frac{\boxed{3}}{\boxed{4}}$$

기약분수로 나타내세요.

$$\frac{6}{9} = \frac{\boxed{2}}{\boxed{3}} \qquad \frac{4}{12} = \frac{\boxed{1}}{\boxed{3}}$$

$$\frac{10}{16} = \frac{\boxed{5}}{\boxed{8}} \qquad \frac{16}{18} = \frac{\boxed{8}}{\boxed{9}} \qquad \frac{13}{39} = \frac{\boxed{1}}{\boxed{3}}$$

$$\frac{11}{44} = \frac{\boxed{1}}{\boxed{4}} \qquad \frac{12}{30} = \frac{\boxed{2}}{\boxed{5}} \qquad \frac{40}{50} = \frac{\boxed{4}}{\boxed{5}}$$

$$\frac{28}{42} = \frac{\boxed{2}}{\boxed{3}} \qquad \frac{12}{42} = \frac{\boxed{2}}{\boxed{7}} \qquad \frac{21}{35} = \frac{\boxed{3}}{\boxed{5}}$$

$$\frac{13}{52} = \frac{\boxed{1}}{\boxed{4}} \qquad \frac{20}{55} = \frac{\boxed{4}}{\boxed{11}} \qquad \frac{36}{54} = \frac{\boxed{2}}{\boxed{3}}$$

$$\frac{15}{102} = \frac{\boxed{5}}{\boxed{34}} \qquad \frac{42}{105} = \frac{\boxed{2}}{\boxed{5}} \qquad \frac{55}{110} = \frac{\boxed{1}}{\boxed{2}}$$

응용연산

1 분수 중 기약분수를 모두 찾아 ○표 하세요.

$$\boxed{\frac{2}{5}} \quad \frac{5}{10} \quad \frac{3}{15} \quad \frac{7}{7} \quad \boxed{\frac{4}{9}}$$

$$\frac{4}{10} \quad \boxed{\frac{3}{8}} \quad \boxed{\frac{5}{16}} \quad \frac{9}{21} \quad \boxed{\frac{13}{42}}$$

2 기약분수로 나타내었을 때 분자가 같은 분수끼리 선으로 이으세요.

$$\begin{array}{cc} \frac{5}{7} & \frac{10}{14} \\ \frac{4}{5} & \frac{20}{25} \\ \frac{1}{2} & \frac{8}{16} \end{array} \qquad \begin{array}{cc} \frac{9}{45} & \frac{1}{5} \\ \frac{15}{27} & \frac{5}{9} \\ \frac{8}{22} & \frac{4}{11} \end{array} \qquad \begin{array}{cc} \frac{1}{2} & \frac{5}{15} \\ \frac{2}{7} & \frac{8}{28} \\ \frac{3}{11} & \frac{15}{55} \end{array} \qquad \begin{array}{cc} \frac{6}{15} & \frac{2}{5} \\ \frac{7}{28} & \frac{1}{4} \\ \frac{9}{21} & \frac{3}{7} \end{array}$$

3 진분수 $\frac{\square}{36}$ 가 기약분수라고 할 때, $\square$ 안에 들어갈 수 있는 수를 모두 쓰세요.

$$1, 5, 7, 11, 13, 17, 19, 23, 25, 29, 31, 35$$

---

4 다음 조건에 맞는 기약분수를 모두 찾아 쓰세요.

분모가 5보다 작은 진분수	$\dfrac{1}{2}, \dfrac{1}{3}, \dfrac{2}{3}, \dfrac{1}{4}, \dfrac{3}{4}$
분모가 8인 진분수	$\dfrac{1}{8}, \dfrac{3}{8}, \dfrac{5}{8}, \dfrac{7}{8}$
분모가 10보다 작고 분자가 2인 진분수	$\dfrac{2}{3}, \dfrac{2}{5}, \dfrac{2}{7}, \dfrac{2}{9}$

5 다음 분수 중에서 기약분수는 모두 몇 개일까요?

$$\frac{1}{20}, \frac{2}{20}, \frac{3}{20} \cdots\cdots \frac{18}{20}, \frac{19}{20}$$

$$\boxed{8} \text{ 개}$$

$$\frac{1}{20}, \frac{3}{20}, \frac{7}{20}, \frac{9}{20}, \frac{11}{20}, \frac{13}{20}, \frac{17}{20}, \frac{19}{20}$$

6 준호네 학교에서 학교 대표를 뽑는 선거를 하였습니다. 모두 420명이 투표하였고, 그중에서 준호는 126표를 얻어 학교 대표에 당선되었습니다. 준호가 얻은 표는 전체의 몇 분의 몇인지 기약분수로 나타내세요.

$$\boxed{\dfrac{3}{10}}$$

$$\frac{126}{420} = \frac{3}{10}$$

형성평가

1 왼쪽 분수와 크기가 같은 분수를 모두 찾아 ◯표 하세요.

$\dfrac{4}{10}$ ➡ ⟨$\dfrac{8}{20}$⟩ $\dfrac{4}{5}$ $\dfrac{4}{16}$ $\dfrac{2}{10}$ ⟨$\dfrac{6}{15}$⟩ ⟨$\dfrac{2}{5}$⟩

기약분수를 만든 후 분모, 분자에 같은 수를 곱합니다.

$\dfrac{12}{28}$ ➡ ⟨$\dfrac{3}{7}$⟩ $\dfrac{28}{56}$ ⟨$\dfrac{6}{14}$⟩ ⟨$\dfrac{15}{35}$⟩ $\dfrac{9}{20}$ $\dfrac{21}{82}$

2 주어진 수 카드를 한 장씩 모두 사용하여 크기가 같은 진분수 2개를 만드세요.

| 1 | 2 | 4 |
| 6 | 7 | |

$\dfrac{\boxed{7}}{\boxed{4}\,\boxed{2}} = \dfrac{1}{6}$

또는 $\dfrac{6}{42} = \dfrac{1}{7}$

3 다음 조건에 맞는 분수를 쓰세요.

$\dfrac{2}{5}$ 와 크기가 같은 분수 중에서 분모와 분자의 합이 49인 분수

$\dfrac{2\times7}{5\times7}$ $\dfrac{14}{35}$

$\dfrac{18}{24}$ 과 크기가 같고 분모가 분자보다 2 큰 분수

$\dfrac{18\div3}{24\div3}$ $\dfrac{6}{8}$

4 어떤 분수의 분모와 분자의 최대공약수가 36입니다. 1 이외에 이 분수의 분모와 분자를 동시에 나눌 수 있는 수를 모두 쓰세요.

2, 3, 4, 6, 9, 12, 18, 36

5 다음 조건에 맞는 분수를 쓰세요.

① $\dfrac{24}{36}$ 를 약분한 분수입니다
② 분모, 분자의 합이 10보다 큽니다.
③ 분모는 10보다 작습니다.

$\dfrac{6}{9}$
① $\dfrac{12}{18}, \dfrac{8}{12}, \dfrac{4}{9}, \dfrac{6}{9}, \dfrac{4}{6}, \dfrac{2}{3}$
② $\dfrac{12}{18}, \dfrac{8}{12}, \dfrac{6}{9}$
③ $\dfrac{6}{9}$

• $\dfrac{48}{72}$ 을 약분한 분수 중 분모, 분자의 합이 가장 작습니다.

$\dfrac{2}{3}$

$\dfrac{24}{36}, \dfrac{16}{24}, \dfrac{8}{18}, \dfrac{6}{12}, \dfrac{4}{9}, \dfrac{2}{6}, \dfrac{2}{3}$

6 약분이 되지 않는 분수를 모두 찾아 ◯표 하세요.

$\dfrac{2}{4}$ ⟨$\dfrac{5}{8}$⟩ $\dfrac{15}{21}$ $\dfrac{15}{95}$ $\dfrac{56}{63}$ ⟨$\dfrac{13}{50}$⟩ ⟨$\dfrac{5}{77}$⟩

7 분수 중 기약분수를 모두 찾아 ◯표 하세요.

⟨$\dfrac{5}{7}$⟩ $\dfrac{4}{8}$ ⟨$\dfrac{11}{14}$⟩ $\dfrac{7}{21}$ $\dfrac{23}{69}$

⟨$\dfrac{3}{14}$⟩ $\dfrac{4}{32}$ $\dfrac{8}{38}$ ⟨$\dfrac{3}{16}$⟩ ⟨$\dfrac{11}{15}$⟩

8 진분수 $\dfrac{\square}{15}$ 가 기약분수라고 할 때 □ 안에 들어갈 수 있는 수를 모두 쓰세요.

1, 2, 4, 7, 8, 11, 13, 14

15보다 작은 수 중에 분모와 분자의 공약수가 1뿐인 수입니다.

9 다음 분수 중에서 기약분수는 모두 몇 개일까요?

$\dfrac{1}{24}, \dfrac{2}{24}, \dfrac{3}{24} \cdots \cdots \dfrac{22}{24}, \dfrac{23}{24}$

8 개

$\dfrac{1}{24}, \dfrac{5}{24}, \dfrac{7}{24}, \dfrac{11}{24}, \dfrac{13}{24}, \dfrac{17}{24}, \dfrac{19}{24}, \dfrac{23}{24}$

분수의 크기 비교

1일 389 두 분모의 최소공배수

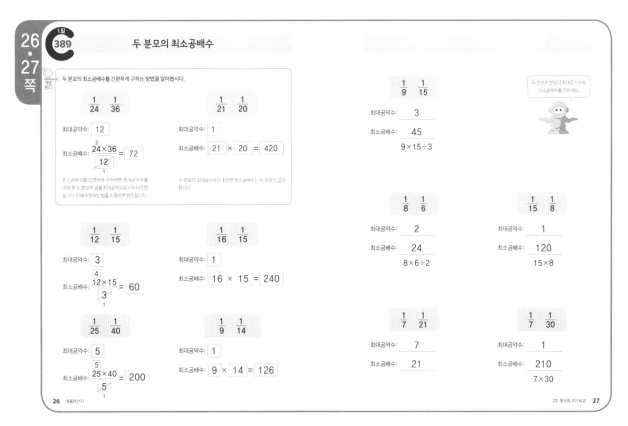

두 분모의 최소공배수를 간편하게 구하는 방법을 알아봅시다.

$\frac{1}{24}$ $\frac{1}{36}$

최대공약수: 12

최소공배수: $\frac{24 \times 36}{12} = 72$

최소공배수를 간편하게 구하려면 최대공약수를 구한 후 두 분모의 곱을 최대공약수로 나누어주면 됩니다. 이때 약분하는 법을 이용하면 편리합니다.

$\frac{1}{21}$ $\frac{1}{20}$

최대공약수: 1

최소공배수: $21 \times 20 = 420$

두 분모의 최대공약수가 1이면 최소공배수는 두 분모의 곱이 됩니다.

$\frac{1}{12}$ $\frac{1}{15}$

최대공약수: 3

최소공배수: $\frac{12 \times 15}{3} = 60$

$\frac{1}{16}$ $\frac{1}{15}$

최대공약수: 1

최소공배수: $16 \times 15 = 240$

$\frac{1}{25}$ $\frac{1}{40}$

최대공약수: 5

최소공배수: $\frac{25 \times 40}{5} = 200$

$\frac{1}{9}$ $\frac{1}{14}$

최대공약수: 1

최소공배수: $9 \times 14 = 126$

두 분모의 분모의 최대공약수와 최소공배수를 구하세요

$\frac{1}{9}$ $\frac{1}{15}$

최대공약수: 3

최소공배수: 45
$9 \times 15 \div 3$

$\frac{1}{8}$ $\frac{1}{6}$

최대공약수: 2

최소공배수: 24
$8 \times 6 \div 2$

$\frac{1}{15}$ $\frac{1}{8}$

최대공약수: 1

최소공배수: 120
15×8

$\frac{1}{7}$ $\frac{1}{21}$

최대공약수: 7

최소공배수: 21

$\frac{1}{7}$ $\frac{1}{30}$

최대공약수: 1

최소공배수: 210
7×30

응용연산

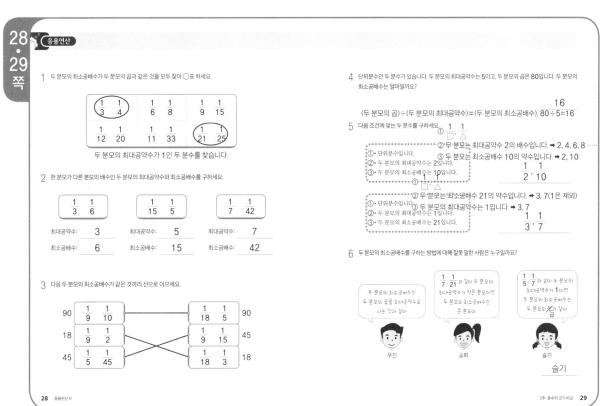

1 두 분모의 최소공배수가 두 분모의 곱과 같은 것을 모두 찾아 ○표 하세요.

$\frac{1}{3}$ $\frac{1}{4}$ （○）　$\frac{1}{6}$ $\frac{1}{8}$　$\frac{1}{9}$ $\frac{1}{15}$

$\frac{1}{12}$ $\frac{1}{20}$　$\frac{1}{11}$ $\frac{1}{33}$　$\frac{1}{21}$ $\frac{1}{25}$ （○）

두 분모의 최대공약수가 1인 두 분수를 찾습니다.

2 한 분모가 다른 분모의 배수인 두 분모의 최대공약수와 최소공배수를 구하세요.

$\frac{1}{3}$ $\frac{1}{6}$　　$\frac{1}{15}$ $\frac{1}{5}$　　$\frac{1}{7}$ $\frac{1}{42}$

최대공약수: 3　최대공약수: 5　최대공약수: 7

최소공배수: 6　최소공배수: 15　최소공배수: 42

3 다음 두 분모의 최소공배수가 같은 것끼리 선으로 이으세요.

90　$\frac{1}{9}$ $\frac{1}{10}$ ——— $\frac{1}{18}$ $\frac{1}{5}$　90

18　$\frac{1}{9}$ $\frac{1}{2}$ ⤫ $\frac{1}{9}$ $\frac{1}{15}$　45

45　$\frac{1}{5}$ $\frac{1}{45}$ ——— $\frac{1}{18}$ $\frac{1}{3}$　18

4 단위분수인 두 분수가 있습니다. 두 분모의 최대공약수는 5이고, 두 분모의 곱은 80입니다. 두 분모의 최소공배수는 얼마일까요?

16

(두 분모의 곱)÷(두 분모의 최대공약수)=(두 분모의 최소공배수), 80÷5=16

5 다음 조건에 맞는 두 분수를 구하세요. $\frac{1}{□}$, $\frac{1}{△}$

① 단위분수입니다.
② 두 분모의 최대공약수는 2입니다.
③ 두 분모의 최소공배수는 10입니다.

② 두 분모는 최대공약수 2의 배수입니다. ➡ 2, 4, 6, 8 ……
③ 두 분모는 최소공배수 10의 약수입니다. ➡ 2, 10

$\frac{1}{2}$ $\frac{1}{10}$

$\frac{1}{□}$, $\frac{1}{△}$
① 단위분수입니다.
② 두 분모의 최대공약수는 1입니다.
③ 두 분모의 최소공배수는 21입니다.

② 두 분모는 최소공배수 21의 약수입니다. ➡ 3, 7(1은 제외)
③ 두 분모의 최대공약수는 1입니다. ➡ 3, 7

$\frac{1}{3}$ $\frac{1}{7}$

6 두 분모의 최소공배수를 구하는 방법에 대해 잘못 말한 사람은 누구일까요?

두 분모의 최소공배수는 두 분모의 곱을 최대공약수로 나눈 것과 같아.
우진

$\frac{1}{7}$, $\frac{1}{21}$ 과 같이 두 분모가 배수 관계인 두 분모의 최소공배수는 큰 분모야.
승희

$\frac{1}{5}$, $\frac{1}{7}$ 과 같이 두 분모의 최대공약수가 1이면 두 분모의 최소공배수는 두 분모의 곱과 같아.
슬기

슬기

30·31쪽

2일 390 C 통분

개념원리

두 분수를 통분하여 봅시다.

분모의 곱을 공통분모로 하여 통분하기

$$\left(\frac{3}{8},\frac{5}{12}\right) \rightarrow \left(\frac{3\times12}{8\times12},\frac{5\times8}{12\times8}\right) \rightarrow \left(\frac{36}{96},\frac{40}{96}\right)$$

분모의 최소공배수를 공통분모로 하여 통분하기

$$\left(\frac{3}{8},\frac{5}{12}\right) \rightarrow \left(\frac{3\times3}{8\times3},\frac{5\times2}{12\times2}\right) \rightarrow \left(\frac{9}{24},\frac{10}{24}\right)$$

분수의 분모를 같게 하는 것을 통분한다고 하고, 통분한 분모를 공통분모라고 합니다.
분수를 통분할 때 공통분모가 될 수 있는 수는 분모의 공배수입니다.

분모의 곱을 공통분모로 하여 통분하기

$$\left(\frac{2}{9},\frac{5}{6}\right) \rightarrow \left(\frac{2\times6}{9\times6},\frac{5\times9}{6\times9}\right) \rightarrow \left(\frac{12}{54},\frac{45}{54}\right)$$

분모의 최소공배수를 공통분모로 하여 통분하기

$$\left(\frac{2}{9},\frac{5}{6}\right) \rightarrow \left(\frac{2\times2}{9\times2},\frac{5\times3}{6\times3}\right) \rightarrow \left(\frac{4}{18},\frac{15}{18}\right)$$

분모의 곱과 분모의 최소공배수가 같을 때 통분하기

$$\left(\frac{3}{7},\frac{5}{8}\right) \rightarrow \left(\frac{3\times8}{7\times8},\frac{5\times7}{8\times7}\right) \rightarrow \left(\frac{24}{56},\frac{35}{56}\right)$$

분모의 곱과 분모의 최소공배수를 공통분모로 하여 통분하세요

$\left[\frac{3}{8},\frac{5}{12}\right]$ — 분모의 곱 $\left(\frac{36}{96},\frac{40}{96}\right)$, 최소공배수 $\left(\frac{9}{24},\frac{10}{24}\right)$

$\left[\frac{1}{6},\frac{7}{10}\right]$ — 분모의 곱 $\left(\frac{10}{60},\frac{42}{60}\right)$, 최소공배수 $\left(\frac{5}{30},\frac{21}{30}\right)$

$\left[\frac{3}{4},\frac{5}{12}\right]$ — 분모의 곱 $\left(\frac{36}{48},\frac{20}{48}\right)$, 최소공배수 $\left(\frac{9}{12},\frac{5}{12}\right)$

$\left[\frac{4}{15},\frac{3}{10}\right]$ — 분모의 곱 $\left(\frac{40}{150},\frac{45}{150}\right)$, 최소공배수 $\left(\frac{8}{30},\frac{9}{30}\right)$

$\left[\frac{11}{12},\frac{13}{15}\right]$ — 분모의 곱 $\left(\frac{165}{180},\frac{156}{180}\right)$, 최소공배수 $\left(\frac{55}{60},\frac{52}{60}\right)$

$\left[\frac{1}{6},\frac{4}{5}\right] \rightarrow \left(\frac{5}{30},\frac{24}{30}\right)$

$\left[\frac{7}{12},\frac{2}{7}\right] \rightarrow \left(\frac{49}{84},\frac{24}{84}\right)$

30 응용연산 E1　　2주·분수의 크기 비교 31

32·33쪽

응용연산

1 두 분수의 분모의 최소공배수로 통분할 때 공통분모가 같은 것끼리 선으로 이으세요.

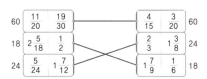

2 두 분수를 통분할 때 공통분모가 될 수 있는 수를 모두 찾아 ○표 하세요.

$\frac{5}{6}$ $\frac{3}{7}$ — 6　7　21　35　(42)　(84)

$\frac{1}{5}$ $\frac{11}{20}$ — 5　10　(20)　30　(40)　50

3 $\frac{5}{6}$와 $\frac{7}{10}$을 통분할 때 공통분모가 될 수 있는 수 중에서 100보다 작은 수를 모두 쓰세요.

30, 60, 90

6과 10의 최소공배수의 배수를 구합니다.

4 다음 중 틀린 설명을 고르세요. **③**

① 분수의 분모를 같게 하는 것을 통분한다고 합니다.
② 공통분모가 될 수 있는 수는 분모의 공배수입니다.
③ 공통분모가 될 수 있는 수 중 가장 작은 수는 분모의 최소공배수입니다.
④ 분모의 최대공약수가 1이면 공통분모 중 가장 작은 수는 분모의 곱과 같습니다.
⑤ 공통분모가 될 수 있는 수 중 가장 작은 수는 (분모의 곱)÷(최대공약수)입니다.

5 분모를 가장 작게 하여 두 분수를 통분하세요.

$\left[\frac{3}{8},\frac{11}{12}\right] \rightarrow \left(\frac{9}{24},\frac{22}{24}\right)$

$\left[\frac{5}{6},\frac{3}{7}\right] \rightarrow \left(\frac{35}{42},\frac{18}{42}\right)$

$\left[3\frac{3}{4},\frac{7}{14}\right] \rightarrow \left(3\frac{21}{28},\frac{14}{28}\right)$

$\left[\frac{1}{3},2\frac{5}{9}\right] \rightarrow \left(\frac{3}{9},2\frac{5}{9}\right)$

6 어떤 두 기약분수를 통분하였더니 $\frac{4}{24}$와 $\frac{9}{24}$가 되었습니다. 통분하기 전의 두 분수를 구하세요.

$\frac{1}{6},\frac{3}{8}$

분모와 분자의 최대공약수로 분모와 분자를 각각 나눕니다.

32 응용연산 E1　　2주·분수의 크기 비교 33

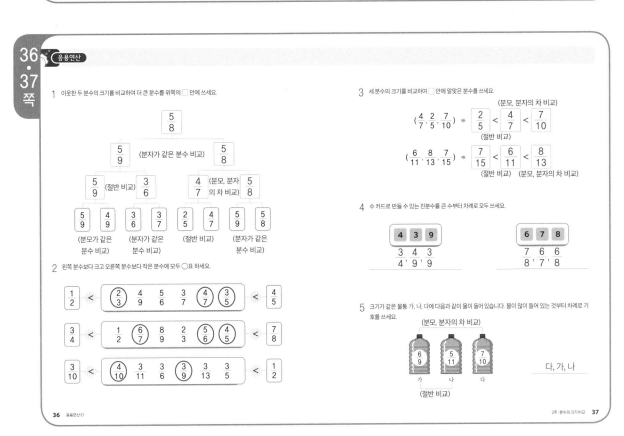

분수의 크기 비교하기

통분하여 두 분수의 크기를 비교해 봅시다.

$$\left(\frac{1}{3}, \frac{2}{7}\right) \rightarrow \left(\boxed{\frac{7}{21}}, \boxed{\frac{6}{21}}\right) \rightarrow \left(\frac{1}{3} \bigcirc> \frac{2}{7}\right)$$

$$\left(\frac{1}{4}, \frac{3}{10}\right) \rightarrow \left(\boxed{\frac{5}{20}}, \boxed{\frac{6}{20}}\right) \rightarrow \left(\frac{1}{4} \bigcirc< \frac{3}{10}\right)$$

분모가 다른 두 분수는 통분하여 분모를 같게 한 다음 분자의 크기를 비교합니다.
분모가 같은 분수는 분자가 클수록 큽니다.

$$\left(\frac{7}{9}, \frac{3}{5}\right) \rightarrow \left(\boxed{\frac{35}{45}}, \boxed{\frac{27}{45}}\right) \rightarrow \left(\frac{7}{9} \bigcirc> \frac{3}{5}\right)$$

$$\left(\frac{7}{16}, \frac{3}{4}\right) \rightarrow \left(\boxed{\frac{7}{16}}, \boxed{\frac{12}{16}}\right) \rightarrow \left(\frac{7}{16} \bigcirc< \frac{3}{4}\right)$$

$$\left(\frac{2}{3}, \frac{4}{7}\right) \rightarrow \left(\boxed{\frac{14}{21}}, \boxed{\frac{12}{21}}\right) \rightarrow \left(\frac{2}{3} \bigcirc> \frac{4}{7}\right)$$

$$\left(\frac{5}{8}, \frac{7}{12}\right) \rightarrow \left(\boxed{\frac{15}{24}}, \boxed{\frac{14}{24}}\right) \rightarrow \left(\frac{5}{8} \bigcirc> \frac{7}{12}\right)$$

$\dfrac{3}{4} \bigcirc< \dfrac{4}{5}$ $\quad$ $\dfrac{7}{11} \bigcirc> \dfrac{5}{9}$ $\quad$ $\dfrac{7}{15} \bigcirc> \dfrac{9}{20}$
$\dfrac{15}{20} \quad \dfrac{16}{20}$ $\quad$ $\dfrac{63}{99} \quad \dfrac{55}{99}$ $\quad$ $\dfrac{28}{60} \quad \dfrac{27}{60}$

$\dfrac{3}{5} \bigcirc> \dfrac{5}{9}$ $\quad$ $\dfrac{4}{7} \bigcirc< \dfrac{9}{14}$ $\quad$ $\dfrac{3}{8} \bigcirc< \dfrac{5}{12}$
$\dfrac{27}{45} \quad \dfrac{25}{45}$ $\quad$ $\dfrac{8}{14}$ $\quad$ $\dfrac{9}{24} \quad \dfrac{10}{24}$

$\dfrac{5}{12} \bigcirc< \dfrac{2}{3}$ $\quad$ $\dfrac{2}{3} \bigcirc> \dfrac{3}{5}$ $\quad$ $\dfrac{1}{3} \bigcirc< \dfrac{3}{9}$
$\dfrac{8}{12}$ $\quad$ $\dfrac{10}{15} \quad \dfrac{9}{15}$ $\quad$ $\dfrac{7}{21} \quad \dfrac{9}{21}$

$\dfrac{13}{17} \bigcirc> \dfrac{29}{51}$ $\quad$ $\dfrac{5}{9} \bigcirc< \dfrac{7}{11}$ $\quad$ $\dfrac{17}{20} \bigcirc> \dfrac{5}{6}$
$\dfrac{39}{51}$ $\quad$ $\dfrac{55}{99} \quad \dfrac{63}{99}$ $\quad$ $\dfrac{51}{60} \quad \dfrac{50}{60}$

$1\dfrac{7}{12} \bigcirc> 1\dfrac{5}{9}$ $\quad$ $2\dfrac{5}{8} \bigcirc> 2\dfrac{3}{5}$ $\quad$ $3\dfrac{3}{8} \bigcirc< 3\dfrac{7}{16}$
$1\dfrac{21}{36} \quad 1\dfrac{20}{36}$ $\quad$ $2\dfrac{25}{40} \quad 2\dfrac{24}{40}$ $\quad$ $3\dfrac{6}{16}$

$2\dfrac{3}{7} \bigcirc> 2\dfrac{5}{14}$ $\quad$ $3\dfrac{4}{7} \bigcirc< 3\dfrac{9}{13}$ $\quad$ $1\dfrac{5}{12} \bigcirc< 1\dfrac{7}{16}$
$2\dfrac{6}{14}$ $\quad$ $3\dfrac{52}{91} \quad 3\dfrac{63}{91}$ $\quad$ $1\dfrac{20}{48} \quad 1\dfrac{21}{48}$

응용연산

1 이웃한 두 분수의 크기를 비교하여 더 큰 분수를 위쪽의 ☐ 안에 쓰세요.

$$\boxed{\dfrac{11}{12}}$$

$\boxed{\dfrac{4}{5}} \dfrac{48}{60}$ $\qquad$ $\boxed{\dfrac{11}{12}} \dfrac{55}{60}$

$\boxed{\dfrac{4}{5}} \dfrac{12}{15}$ $\boxed{\dfrac{11}{15}}$ $\quad$ $\boxed{\dfrac{11}{12}} \dfrac{55}{60}$ $\boxed{\dfrac{17}{20}} \dfrac{51}{60}$

$\boxed{\dfrac{4}{5}} \qquad \boxed{\dfrac{5}{8}} \qquad \boxed{\dfrac{11}{15}} \qquad \boxed{\dfrac{7}{10}} \qquad \boxed{\dfrac{8}{9}} \qquad \boxed{\dfrac{11}{12}} \qquad \boxed{\dfrac{17}{20}} \qquad \boxed{\dfrac{2}{3}}$

$\dfrac{32}{40} \quad \dfrac{25}{40} \quad \dfrac{22}{30} \quad \dfrac{21}{30} \quad \dfrac{32}{36} \quad \dfrac{33}{36} \quad \dfrac{51}{60} \quad \dfrac{40}{60}$

2 분수의 크기를 비교하여 작은 수부터 차례로 쓰세요.

$\boxed{\dfrac{2}{9} \quad \dfrac{1}{2} \quad \dfrac{1}{3} \quad \dfrac{5}{9} \quad \dfrac{7}{18}}$ $\qquad$ $\dfrac{2}{9}, \dfrac{1}{3}, \dfrac{7}{18}, \dfrac{1}{2}, \dfrac{5}{9}$
$\dfrac{4}{18} \quad \dfrac{9}{18} \quad \dfrac{6}{18} \quad \dfrac{10}{18}$

$\boxed{\dfrac{1}{2} \quad \dfrac{7}{16} \quad \dfrac{3}{8} \quad \dfrac{7}{4} \quad \dfrac{1}{4}}$ $\qquad$ $\dfrac{1}{4}, \dfrac{7}{16}, \dfrac{1}{2}, \dfrac{3}{4}, \dfrac{7}{8}$
$\dfrac{8}{16} \quad \dfrac{12}{16} \quad \dfrac{14}{16} \quad \dfrac{4}{16}$

3 수 카드 4장 중에서 2장을 뽑아 진분수를 만들려고 합니다. 만들 수 있는 진분수 중 가장 큰 분수와 가장 작은 분수를 각각 쓰세요.

$\boxed{3} \ \boxed{6} \ \boxed{7} \ \boxed{9}$

가장 큰 진분수: $\dfrac{7}{9}$

가장 작은 진분수: $\dfrac{3}{9}$

$\dfrac{3}{6}, \dfrac{3}{7}, \dfrac{6}{7}, \dfrac{3}{9}, \dfrac{6}{9}, \dfrac{7}{9}$

$\boxed{2} \ \boxed{4} \ \boxed{5} \ \boxed{8}$

가장 큰 진분수: $\dfrac{4}{5}$

가장 작은 진분수: $\dfrac{2}{8}$

$\dfrac{2}{4}, \dfrac{2}{5}, \dfrac{4}{5}, \dfrac{2}{8}, \dfrac{4}{8}, \dfrac{5}{8}$

4 진분수의 크기를 비교하여 ☐ 안에 넣을 수 있는 수를 모두 쓰세요.

$\dfrac{20}{40}, \dfrac{16}{40}, \dfrac{32}{40}, \dfrac{10}{40}, \dfrac{20}{40}, \dfrac{25}{40}$

$\dfrac{\boxed{\ }}{7} < \dfrac{3}{4}$ $\qquad\qquad$ $\dfrac{1}{3} < \dfrac{\boxed{\ }}{6} < \dfrac{17}{18}$

1, 2, 3, 4, 5 $\qquad\qquad$ 3, 4, 5

$\dfrac{\square \times 4}{7 \times 4} \ \dfrac{3 \times 7}{4 \times 7}$ $\qquad$ $\dfrac{6}{18} < \dfrac{\square \times 3}{6 \times 3} < \dfrac{17}{18}$

5 세 접시에 딸기가 같은 수만큼 담겨 있습니다. 딸기를 가장 적게 먹은 사람은 누구일까요?

나는 한 접시의 $\dfrac{2}{5}$ 를 먹었어.
승희
$\dfrac{12}{30}$

정호
나는 한 접시의 $\dfrac{3}{10}$ 을 먹었어.
$\dfrac{9}{30}$

나는 한 접시의 $\dfrac{4}{15}$ 를 먹었어.
민주
$\dfrac{8}{30}$

민주

5일 형성평가

1 두 분모의 최소공배수가 두 분모의 곱과 같은 것을 모두 찾아 ○표 하세요.

⬭($\frac{1}{2}$ $\frac{1}{3}$) $\frac{1}{5}$ $\frac{1}{10}$ $\frac{1}{4}$ $\frac{1}{6}$

⬭($\frac{1}{5}$ $\frac{1}{7}$) $\frac{1}{14}$ $\frac{1}{21}$ ⬭($\frac{1}{3}$ $\frac{1}{4}$)

2 $\frac{3}{14}$과 $\frac{8}{21}$을 통분할 때 공통분모가 될 수 있는 수 중에서 100보다 작은 수를 모두 쓰세요.

42, 84

분모의 최소공배수의 배수를 구합니다.

3 분모를 가장 작게 하여 두 분수를 통분하세요.

($\frac{7}{9}$ $\frac{5}{12}$) ➡ ($\frac{28}{36}$, $\frac{15}{36}$)

($\frac{3}{5}$ $\frac{2}{9}$) ➡ ($\frac{27}{45}$, $\frac{10}{45}$)

4 세 분수의 크기를 비교하여 ☐ 안에 쓰세요.

($\frac{1}{2}$ $\frac{2}{7}$ $\frac{3}{5}$) ➡ (절반 비교) $\frac{2}{7}$ < $\frac{1}{2}$ < $\frac{3}{5}$

($\frac{5}{8}$ $\frac{7}{12}$ $\frac{3}{10}$) ➡ $\frac{3}{10}$ < $\frac{7}{12}$ < $\frac{5}{8}$

(절반 비교) (통분 비교)

5 분수의 크기를 비교하여 작은 것부터 차례로 쓰세요.

($\frac{3}{4}$ $\frac{1}{6}$ $\frac{1}{2}$ $\frac{5}{12}$ $\frac{2}{3}$) ➡ $\frac{9}{12}$ $\frac{2}{12}$ $\frac{6}{12}$ $\frac{5}{12}$ $\frac{8}{12}$

$\frac{1}{6}$, $\frac{5}{12}$, $\frac{1}{2}$, $\frac{2}{3}$, $\frac{3}{4}$

($\frac{8}{11}$ $\frac{5}{7}$ $\frac{7}{15}$ $\frac{16}{5}$ $\frac{4}{21}$)

$\frac{7}{15}$, $\frac{5}{7}$, $\frac{8}{11}$, $\frac{16}{21}$, $\frac{4}{5}$

① $\frac{1}{2}$보다 작은 분수: $\frac{7}{15}$ ② $\frac{5}{7}(=\frac{55}{77})$ < $\frac{8}{11}(=\frac{56}{77})$ < $\frac{16}{21}$ < $\frac{4}{5}(=\frac{16}{20})$

$(=\frac{16}{22})$

6 진분수의 크기를 비교하여 ☐ 안에 넣을 수 있는 수를 모두 쓰세요.

$\frac{☐}{6}$ < $\frac{4}{5}$

1, 2, 3, 4

$\frac{☐×5}{6×5}$ < $\frac{4×6}{5×6}$

$\frac{1}{2}$ < $\frac{☐}{10}$ < $\frac{18}{25}$

6, 7

$\frac{25}{2×25}$ < $\frac{☐×5}{10×5}$ < $\frac{18×2}{25×2}$

---

7 수 카드 4장 중에서 2장을 골라 진분수를 만들려고 합니다. 만들 수 있는 진분수 중 가장 큰 분수와 가장 작은 분수를 쓰세요.

| 3 | 4 | 7 | 8 |

가장 큰 진분수: $\frac{7}{8}$ ($\frac{4}{7}$ < $\frac{3}{4}$ < $\frac{7}{8}$)

가장 작은 진분수: $\frac{3}{8}$ ($\frac{3}{8}$ < $\frac{3}{7}$ < $\frac{3}{4}$)

$\frac{3}{4}$, $\frac{3}{7}$, $\frac{7}{8}$, $\frac{3}{8}$, $\frac{4}{7}$

| 2 | 3 | 5 | 8 |

가장 큰 진분수: $\frac{2}{3}$ ($\frac{3}{5}$ < $\frac{5}{8}$ < $\frac{2}{3}$)

가장 작은 진분수: $\frac{2}{8}$ ($\frac{2}{8}$ < $\frac{2}{5}$ < $\frac{2}{3}$)

$\frac{2}{3}$, $\frac{2}{5}$, $\frac{3}{5}$, $\frac{5}{8}$, $\frac{2}{8}$

8 수직선에 나타내었을 때 $\frac{2}{9}$와 $\frac{5}{7}$ 사이에 있는 분수를 모두 찾아 ○표 하세요.

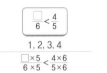

$\frac{1}{8}$ ⬭($\frac{4}{7}$) $\frac{8}{11}$ ⬭($\frac{9}{14}$) $\frac{3}{18}$

① $\frac{2}{9}$보다 작은 분수: $\frac{1}{8}$, $\frac{3}{18}$ ② $\frac{5}{7}$보다 작은 분수: $\frac{4}{8}$, $\frac{9}{7}$, $\frac{3}{14}$, $\frac{18}{18}$

③ $\frac{2}{9}$ < $\frac{4}{7}$ < $\frac{9}{14}$ < $\frac{5}{7}$

9 친구 3명이 철사로 모양 꾸미기 놀이를 합니다. 사용한 철사가 가장 긴 사람은 누구일까요?

지호는 $\frac{2}{3}$ m의 철사를 사용하였습니다. ➡ $\frac{12}{18}$

민정이는 $\frac{5}{6}$ m의 철사를 사용하였습니다. ➡ $\frac{15}{18}$

소민이는 $\frac{7}{9}$ m의 철사를 사용하였습니다. ➡ $\frac{14}{18}$ **민정**

분수의 덧셈과 뺄셈 (1)

46·47쪽

393 분모가 같은 분수의 덧셈과 뺄셈

분모가 같은 분수의 덧셈과 뺄셈을 해 봅시다. 계산 결과는 약분하여 기약분수로 나타내고, 가분수이면 대분수로 나타냅니다.

$$\frac{5}{8} + \frac{7}{8} = \frac{5+7}{8} = \frac{12}{8} = \frac{3}{2} = 1\frac{1}{2}$$

$$\frac{5}{6} - \frac{1}{6} = \frac{5-1}{6} = \frac{4}{6} = \frac{2}{3}$$

분모가 같은 분수의 덧셈과 뺄셈은 분모는 그대로 두고 분자끼리 계산합니다.

$$\frac{5}{9} + \frac{2}{9} = \frac{5+2}{9} = \frac{7}{9}$$

$$\frac{11}{15} - \frac{3}{15} = \frac{11-3}{15} = \frac{8}{15}$$

$$\frac{9}{14} + \frac{11}{14} = \frac{9+11}{14} = \frac{20}{14} = \frac{10}{7} = 1\frac{3}{7}$$

$$\frac{7}{10} - \frac{3}{10} = \frac{7-3}{10} = \frac{4}{10} = \frac{2}{5}$$

계산 결과는 약분하여 기약분수로 나타내고, 가분수이면 대분수로 나타냅니다.

$$\frac{2}{7} + \frac{3}{7} = \frac{5}{7}$$

$$\frac{2}{3} - \frac{1}{3} = \frac{1}{3}$$

$$\frac{6}{7} - \frac{3}{7} = \frac{3}{7}$$

$$\frac{4}{9} + \frac{2}{9} = \frac{2}{3}$$

$$\frac{5}{12} + \frac{4}{12} = \frac{3}{4}$$

$$\frac{7}{9} - \frac{2}{9} = \frac{5}{9}$$

$$\frac{11}{8} - \frac{5}{8} = \frac{3}{4}$$

$$\frac{5}{6} + \frac{5}{6} = 1\frac{2}{3}$$

$$\frac{13}{14} + \frac{11}{14} = 1\frac{5}{7}$$

$$\frac{8}{15} - \frac{2}{15} = \frac{2}{5}$$

$$\frac{11}{12} - \frac{5}{12} = \frac{1}{2}$$

48·49쪽

응용연산

1 가로, 세로로 두 수의 합에 맞게 상자 안의 수를 빈칸에 쓰세요.

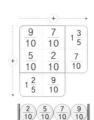

2 수 카드 3장 중에서 2장을 사용하여 가장 큰 진분수와 가장 작은 진분수를 만들고 두 분수의 합과 차를 구하세요. (단, 계산 결과는 기약분수로 나타내고, 가분수는 대분수로 나타냅니다.)

8 7 3

합: $\frac{7}{8} + \frac{3}{8} = \frac{10}{8} = \frac{5}{4} = 1\frac{1}{4}$

차: $\frac{7}{8} - \frac{3}{8} = \frac{4}{8} = \frac{1}{2}$

2 6 7

합: $\frac{6}{7} + \frac{2}{7} = 1\frac{1}{7}$

차: $\frac{6}{7} - \frac{2}{7} = \frac{4}{7}$

4 8 9

합: $\frac{8}{9} + \frac{4}{9} = 1\frac{1}{3}$

차: $\frac{8}{9} - \frac{4}{9} = \frac{4}{9}$

3 □ 안에 들어갈 수 있는 수를 모두 찾아 ○표 하세요.

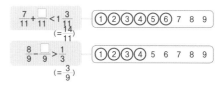

$\frac{7}{11} + \frac{\square}{11} < 1\frac{3}{11} \left(= \frac{14}{11}\right)$ ①②③④⑤⑥ 7 8 9

$\frac{8}{9} - \frac{\square}{9} > 1\frac{1}{3} \left(= \frac{3}{9}\right)$ ①②③④ 5 6 7 8 9

4 어떤 수에서 $\frac{5}{13}$ 를 더해야 할 것을 잘못하여 뺐더니 $\frac{6}{13}$ 이 되었습니다. 바르게 계산하면 얼마일까요?

잘못된 식: **A** $\square - \frac{5}{13} = \frac{6}{13}$

바르게 계산하기: **A** $\frac{11}{13} + \frac{5}{13} = 1\frac{3}{13}$

어떤 수: $\frac{11}{13}$

B $1\frac{3}{13}$

5 철사를 민호는 $\frac{8}{9}$ m, 송희는 $\frac{7}{9}$ m 가지고 있습니다. 두 사람이 가진 철사 길이의 합과 차를 구하세요.

합: $1\frac{2}{3}$ m, 차: $\frac{1}{9}$ m

분모가 다른 분수의 덧셈

분모가 다른 분수의 덧셈을 알아봅시다.

$$\frac{1}{3} + \frac{2}{5} = \frac{5}{15} + \frac{6}{15} = \frac{11}{15}$$

$\frac{1}{3}$ → $\frac{5}{15}$

$\frac{2}{5}$ → $\frac{6}{15}$

$\frac{1}{3} + \frac{2}{5}$ → $\frac{11}{15}$

분모가 다른 분수의 덧셈은 통분하여 분모를 같게 만들어 덧셈을 합니다.

$$\frac{1}{6} + \frac{1}{3} = \frac{1}{6} + \frac{2}{6} = \frac{3}{6} = \frac{1}{2}$$

$$\frac{5}{6} + \frac{3}{8} = \frac{20}{24} + \frac{9}{24} = \frac{29}{24} = 1\frac{5}{24}$$

$$\frac{4}{9} + \frac{11}{12} = \frac{16}{36} + \frac{33}{36} = \frac{49}{36} = 1\frac{13}{36}$$

$$\frac{1}{4} + \frac{1}{8} = \frac{3}{8}$$

$$\frac{1}{3} + \frac{1}{5} = \frac{8}{15}$$

$$\frac{1}{2} + \frac{2}{5} = \frac{9}{10}$$

$$\frac{3}{4} + \frac{2}{5} = 1\frac{3}{20}$$

$$\frac{3}{16} + \frac{11}{12} = 1\frac{5}{48}$$

$$\frac{7}{10} + \frac{5}{8} = 1\frac{13}{40}$$

계산 결과는 약분하여 기약분수로 나타내고, 가분수이면 대분수로 나타냅니다.

$$\frac{1}{2} + \frac{1}{3} = \frac{5}{6}$$

$$\frac{1}{6} + \frac{3}{8} = \frac{13}{24}$$

$$\frac{5}{8} + \frac{3}{4} = 1\frac{3}{8}$$

$$\frac{8}{9} + \frac{5}{6} = 1\frac{13}{18}$$

$$\frac{7}{12} + \frac{11}{20} = 1\frac{2}{15}$$

응용연산

1 분수의 덧셈을 하여 빈칸에 알맞은 수를 쓰세요.

+	$\frac{1}{2}$	$\frac{3}{8}$
$\frac{2}{3}$	$1\frac{1}{6}$	$1\frac{1}{24}$
$\frac{3}{4}$	$1\frac{1}{4}$	$1\frac{1}{8}$

2 계산 결과의 크기를 비교하여 ◯ 안에 >, =, <를 알맞게 넣으세요.

$\frac{13}{15}\frac{2}{3} + \frac{1}{5}$ $<$ $\frac{14}{15}$ $\frac{19}{36}\frac{5}{12} + \frac{1}{9}$ $>$ $\frac{1}{2}$

$\frac{1}{4} + \frac{1}{8}$ $<$ $\frac{1}{5} + \frac{1}{9}$
$\frac{7}{24}\left(=\frac{14}{48}\right)$ $\frac{14}{45}$

$\frac{3}{4} + \frac{5}{12}$ $>$ $\frac{4}{7} + \frac{4}{13}$
$1\frac{7}{12}\left(>1\frac{1}{2}\right)$ $1\frac{13}{35}\left(<1\frac{1}{2}\right)$

3 다음 중 두 수를 사용하여 식을 만들고 계산하세요. (단, 계산 결과는 기약분수로 나타내고, 가분수는 대분수로 나타냅니다.)

$\frac{2}{3}$	$\frac{5}{6}$	$\frac{9}{12}$	$\frac{7}{15}$

$\frac{7}{15} < \frac{2}{3} < \frac{9}{12} < \frac{5}{6}$

합이 가장 큰 식: 식 $\frac{5}{6} + \frac{9}{12} = 1\frac{7}{12}$ 답 $1\frac{7}{12}$

합이 가장 작은 식: 식 $\frac{2}{3} + \frac{7}{15} = 1\frac{2}{15}$ 답 $1\frac{2}{15}$

4 수 카드 3장 중에서 2장을 사용하여 가장 큰 진분수와 가장 작은 진분수를 만들고 두 분수의 합을 구하세요. (단, 계산 결과는 기약분수로 나타내고, 가분수는 대분수로 나타냅니다.)

| 9 | 6 | 5 | $\frac{5}{6} + \frac{5}{9} = 1\frac{7}{18}$ |

  $\frac{2}{3} + \frac{2}{6} = 1$

  $\frac{4}{5} + \frac{4}{9} = 1\frac{11}{45}$

5 하진이는 줄넘기를 $\frac{3}{5}$ 시간 동안 연습하였고, 수경이는 $\frac{3}{8}$ 시간 동안 연습하였습니다. 두 사람이 줄넘기를 연습한 시간은 모두 얼마일까요?

식 $\frac{3}{5} + \frac{3}{8} = \frac{39}{40}$ 답 $\frac{39}{40}$ 시간

6 전체 거리의 $\frac{1}{3}$ 은 버스, $\frac{4}{9}$ 는 기차를 타고 이동했습니다. 버스와 기차를 타고 이동한 거리는 전체 거리의 얼마인지 분수로 나타내세요.

식 $\frac{1}{3} + \frac{4}{9} = \frac{7}{9}$ 답 $\frac{7}{9}$

54·55쪽 ③일 C 395 분모가 다른 분수의 뺄셈

개념 쏙 분모가 다른 분수의 뺄셈을 알아봅시다.

$$\frac{1}{2}-\frac{2}{5}=\frac{\boxed{5}}{10}-\frac{\boxed{4}}{10}=\frac{\boxed{1}}{10}$$

$$\frac{1}{2} \Rightarrow \frac{\boxed{5}}{10}$$

$$\frac{2}{5} \Rightarrow \frac{\boxed{4}}{10}$$

$$\frac{1}{2}-\frac{2}{5} \Rightarrow \times\times\times\times \quad \frac{\boxed{1}}{10}$$

분모가 다른 분수의 뺄셈은 통분하여 분모를 같게 만들어 뺄셈을 합니다.

$$\frac{5}{6}-\frac{5}{9}=\frac{\boxed{15}}{18}-\frac{\boxed{10}}{18}$$
$$=\frac{\boxed{5}}{18}$$

$$\frac{11}{12}-\frac{3}{8}=\frac{\boxed{22}}{24}-\frac{\boxed{9}}{24}$$
$$=\frac{\boxed{13}}{24}$$

$$\frac{1}{2}-\frac{1}{6}=\frac{\boxed{3}}{6}-\frac{\boxed{1}}{6}$$
$$=\frac{\boxed{2}}{6}=\frac{\boxed{1}}{3}$$

$$\frac{9}{10}-\frac{11}{15}=\frac{\boxed{27}}{30}-\frac{\boxed{22}}{30}$$
$$=\frac{\boxed{5}}{30}=\frac{\boxed{1}}{6}$$

$$\frac{1}{2}-\frac{1}{4}=\frac{\boxed{1}}{4}$$

 계산 결과는 약분하여 기약분수로 나타냅니다.

$$\frac{5}{6}-\frac{1}{5}=\frac{\boxed{19}}{30}$$

$$\frac{5}{8}-\frac{1}{4}=\frac{\boxed{3}}{8}$$

$$\frac{8}{9}-\frac{5}{6}=\frac{\boxed{1}}{18}$$

$$\frac{5}{7}-\frac{2}{5}=\frac{\boxed{11}}{35}$$

$$\frac{4}{5}-\frac{7}{15}=\frac{\boxed{1}}{3}$$

$$\frac{13}{16}-\frac{5}{12}=\frac{\boxed{19}}{48}$$

$$\frac{5}{12}-\frac{1}{6}=\frac{\boxed{1}}{4}$$

$$\frac{3}{4}-\frac{3}{10}=\frac{\boxed{9}}{20}$$

$$\frac{11}{14}-\frac{5}{8}=\frac{\boxed{9}}{56}$$

$$\frac{7}{12}-\frac{2}{9}=\frac{\boxed{13}}{36}$$

56·57쪽 응용연산

1 분수의 뺄셈을 하여 빈칸에 알맞은 수를 쓰세요. (단, 계산 결과는 기약분수로 나타냅니다.)

$$-\frac{1}{3}$$

$\frac{1}{2}$	$\frac{1}{6}$
$\frac{2}{5}$	$\frac{1}{15}$
$\frac{5}{6}$	$\frac{1}{2}$

$$-\frac{1}{4}$$

$\frac{2}{3}$	$\frac{5}{12}$
$\frac{5}{6}$	$\frac{7}{12}$
$\frac{7}{8}$	$\frac{5}{8}$

2 계산 결과의 크기를 비교하여 ○ 안에 >, =, <를 알맞게 넣으세요.

$$\frac{8}{15}-\frac{2}{3}-\frac{1}{5} \boxed{<} \frac{14}{15}$$

$$\frac{3}{8}-\frac{3}{4}-\frac{3}{8} \boxed{<} \frac{1}{2}$$

$$\frac{2}{5}-\frac{2}{7} \boxed{>} \frac{1}{5}-\frac{1}{9}$$
$$\frac{4}{35} \qquad \frac{4}{45}$$

$$\frac{3}{4}-\frac{1}{6} \boxed{>} \frac{4}{5}-\frac{4}{7}$$
$$\frac{7}{12}(>\frac{1}{2}) \quad \frac{8}{35}(<\frac{1}{2})$$

3 □ 안에 들어갈 수 있는 분수 중에서 단위분수를 모두 찾아 쓰세요.

$$\frac{1}{2}-\frac{1}{3} > \boxed{} > \frac{1}{3}-\frac{1}{4}$$
$$\frac{1}{6} \qquad\qquad \frac{1}{12}$$

$$\frac{1}{7}, \frac{1}{8}, \frac{1}{9}, \frac{1}{10}, \frac{1}{11}$$

4 다음 중 두 분수를 사용하여 식을 만들고 계산하세요. (단, 계산 결과는 기약분수로 나타냅니다.)

$$\boxed{\dfrac{5}{6}\quad \dfrac{5}{8}\quad \dfrac{7}{9}\quad \dfrac{7}{12}}$$

차가 가장 큰 식: 식 $\dfrac{5}{6}-\dfrac{7}{12}=\dfrac{1}{4}$ 답 $\dfrac{1}{4}$

차가 가장 작은 식: 식 $\dfrac{5}{8}-\dfrac{7}{12}=\dfrac{1}{24}$ 답 $\dfrac{1}{24}$

$$\frac{7}{12}\left(=\frac{14}{24}\right)<\frac{5}{8}\left(=\frac{15}{24}\right)<\frac{7}{9}\left(=\frac{14}{18}\right)<\frac{5}{6}\left(=\frac{15}{18}\right)$$
$$\left(=\frac{45}{72}\right)\qquad\left(=\frac{63}{72}\right)$$

5 정호는 주말 농장에서 고구마를 $\frac{7}{8}$ kg, 감자를 $\frac{7}{10}$ kg 캤습니다. 정호는 고구마를 감자보다 몇 kg 더 캤을까요?

식 $\dfrac{7}{8}-\dfrac{7}{10}=\dfrac{7}{40}$ 답 $\dfrac{7}{40}$ kg

6 도희네 집에서 학교와 놀이터와의 거리를 나타낸 것입니다. 도희네 집에서 어느 곳이 몇 km 더 멀까요?

식 $\dfrac{6}{7}-\dfrac{9}{11}=\dfrac{3}{77}$

답  놀이터 가 $\dfrac{3}{77}$ km 더 멉니다.

구간	거리
도희네 집 ~ 학교	$\frac{9}{11}$ km
도희네 집 ~ 놀이터	$\frac{6}{7}$ km

진분수의 덧셈과 뺄셈

개념원리 분수의 덧셈과 뺄셈을 알아봅시다.

$$\frac{1}{3}+\frac{3}{5}=\frac{5}{15}+\frac{9}{15}=\frac{14}{15} \qquad \frac{2}{5}-\frac{1}{3}=\frac{6}{15}-\frac{5}{15}=\frac{1}{15}$$

분모가 다른 분수의 덧셈과 뺄셈은 통분하여 분모를 같게 만들어 계산합니다.

$$\frac{1}{2}+\frac{4}{7}=\frac{7}{14}+\frac{8}{14}=\frac{15}{14}=1\frac{1}{14}$$

$$\frac{4}{5}-\frac{1}{3}=\frac{12}{15}-\frac{5}{15}=\frac{7}{15}$$

$$\frac{2}{3}+\frac{7}{9}=\frac{6}{9}+\frac{7}{9}=\frac{13}{9}=1\frac{4}{9}$$

$$\frac{5}{6}-\frac{3}{10}=\frac{25}{30}-\frac{9}{30}=\frac{16}{30}=\frac{8}{15}$$

계산 결과는 약분하여 기약분수로 나타내고, 가분수이면 대분수로 나타냅니다.

$$\frac{1}{5}+\frac{3}{10}=\frac{1}{2} \qquad \frac{3}{7}-\frac{1}{3}=\frac{2}{21}$$

$$\frac{2}{3}+\frac{1}{6}=\frac{5}{6} \qquad \frac{1}{3}-\frac{1}{5}=\frac{2}{15}$$

$$\frac{1}{3}+\frac{1}{4}=\frac{7}{12} \qquad \frac{3}{4}-\frac{3}{5}=\frac{3}{20}$$

$$\frac{7}{9}+\frac{5}{6}=1\frac{11}{18} \qquad \frac{5}{6}-\frac{4}{9}=\frac{7}{18}$$

$$\frac{2}{3}+\frac{4}{7}=1\frac{5}{21} \qquad \frac{3}{7}-\frac{4}{21}=\frac{5}{21}$$

$$\frac{1}{4}+\frac{5}{8}=\frac{7}{8}$$

응용연산

1 빈칸에 알맞은 수를 쓰세요. (단, 계산 결과는 기약분수로 나타내고, 가분수는 대분수로 나타냅니다.)

+	$\frac{1}{3}$	$\frac{1}{4}$
$\frac{1}{6}$	$\frac{1}{2}$	$\frac{5}{12}$
$\frac{1}{9}$	$\frac{4}{9}$	$\frac{13}{36}$

−	$\frac{1}{2}$	$\frac{2}{3}$
$\frac{4}{5}$	$\frac{3}{10}$	$\frac{2}{15}$
$\frac{5}{6}$	$\frac{1}{3}$	$\frac{1}{6}$

2 다음과 같이 두 분수의 합과 차를 구하세요. (단, 계산 결과는 기약분수로 나타내고, 가분수는 대분수로 나타냅니다.)

$\boxed{\frac{5}{6} \quad \frac{3}{4}}$

합: $\frac{5}{6}+\frac{3}{4}=\frac{10}{12}+\frac{9}{12}=\frac{19}{12}=1\frac{7}{12}$

차: $\frac{5}{6}-\frac{3}{4}=\frac{10}{12}-\frac{9}{12}=\frac{1}{12}$

$\boxed{\frac{5}{8} \quad \frac{7}{12}}$

합: $\frac{5}{8}+\frac{7}{12}=\frac{15}{24}+\frac{14}{24}=\frac{29}{24}=1\frac{5}{24}$

차: $\frac{5}{8}-\frac{7}{12}=\frac{15}{24}-\frac{14}{24}=\frac{1}{24}$

3 빈칸에 알맞은 수를 쓰세요. (단, 계산 결과는 기약분수로 나타내고, 가분수는 대분수로 나타냅니다.)

$\boxed{\frac{1}{6}} \xrightarrow{+\frac{5}{8}} \boxed{\frac{19}{24}}$

$\boxed{\frac{4}{21}} \xrightarrow{+\frac{5}{7}} \boxed{\frac{19}{21}}$

$\frac{19}{21}-\frac{5}{7}=\frac{4}{21}$

$\boxed{\frac{13}{12}} \xrightarrow{-\frac{2}{5}} \boxed{\frac{41}{60}}$

$\boxed{\frac{9}{10}} \xrightarrow{-\frac{3}{8}} \boxed{\frac{21}{40}}$

$\frac{21}{40}+\frac{3}{8}=\frac{36}{40}=\frac{9}{10}$

4 수 카드 3장 중에서 2장을 사용하여 만들 수 있는 가장 큰 진분수와 가장 작은 진분수의 합과 차를 구하세요. (단, 계산 결과는 기약분수로 나타내고, 가분수는 대분수로 나타냅니다.)

$\boxed{3 \ 8 \ 4}$

두 분수의 합: $\frac{3}{4}+\frac{3}{8}=1\frac{1}{8}$

두 분수의 차: $\frac{3}{4}-\frac{3}{8}=\frac{3}{8}$

$\boxed{10 \ 3 \ 5}$

두 분수의 합: $\frac{3}{5}+\frac{3}{10}=\frac{9}{10}$

두 분수의 차: $\frac{3}{5}-\frac{3}{10}=\frac{3}{10}$

5 길이가 각각 $\frac{7}{10}$ m와 $\frac{8}{15}$ m인 색 테이프 2장이 있습니다.

두 색 테이프의 길이의 합은 몇 m일까요? (단, 계산 결과는 기약분수로 나타내고, 가분수는 대분수로 나타냅니다.)

식 $\frac{7}{10}+\frac{8}{15}=1\frac{7}{30}$ 답 $1\frac{7}{30}$ m

두 색 테이프의 길이의 차는 몇 m일까요? (단, 계산 결과는 기약분수로 나타냅니다.)

식 $\frac{7}{10}-\frac{8}{15}=\frac{1}{6}$ 답 $\frac{1}{6}$ m

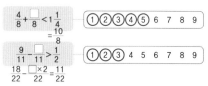

5일 형성평가

1 ☐ 안에 들어갈 수 있는 수를 모두 찾아 ○표 하세요.

$$\frac{4}{8} + \frac{\square}{8} < 1\frac{1}{4} = \frac{10}{8}$$

①②③④⑤ 6 7 8 9

$$\frac{9}{11} - \frac{\square}{11} > \frac{1}{2}$$
$$\frac{18}{22} - \frac{\square \times 2}{22} = \frac{11}{22}$$

①②③ 4 5 6 7 8 9

2 어떤 수에서 $\frac{5}{11}$ 를 빼야 할 것을 잘못하여 더했더니 $1\frac{3}{11}$ 이 되었습니다. 바르게 계산하면 얼마일까요?

잘못된 식: 📝 $\square + \frac{5}{11} = 1\frac{3}{11}$ 어떤 수: $\frac{9}{11}$

바르게 계산하기: 📝 $\frac{9}{11} - \frac{5}{11} = \frac{4}{11}$ 📋 $\frac{4}{11}$

3 빈칸에 알맞은 수를 쓰세요. (단, 기약분수로 나타내고, 가분수는 대분수로 나타냅니다.)

+	$\frac{2}{5}$	$\frac{5}{7}$
$\frac{4}{5}$	$1\frac{1}{5}$	$1\frac{18}{35}$
$\frac{6}{7}$	$1\frac{9}{35}$	$1\frac{4}{7}$

−	$\frac{1}{3}$	$\frac{2}{9}$
$\frac{8}{9}$	$\frac{5}{9}$	$\frac{2}{3}$
$\frac{2}{3}$	$\frac{1}{3}$	$\frac{4}{9}$

4 계산 결과의 크기를 비교하여 ○ 안에 >, =, <를 알맞게 넣으세요.

$$\frac{3}{4} + \frac{1}{5} \bigotimes \frac{3}{10} + \frac{1}{2}$$
$$= \frac{19}{20} \quad\quad = \frac{8}{10} = \frac{16}{20}$$

$$\frac{13}{15} - \frac{1}{24} \bigotimes \frac{11}{15} - \frac{2}{9}$$
$$= \frac{23}{24} \quad\quad = \frac{23}{45}$$

5 다음 중 두 수를 사용하여 식을 만들고 계산하세요. (단, 계산 결과는 기약분수로 나타내고, 가분수는 대분수로 나타냅니다.)

$$\boxed{\frac{1}{3} \quad \frac{1}{2} \quad \frac{5}{6} \quad \frac{7}{8}} \overset{통분}{\rightarrow} \frac{8}{24}, \frac{12}{24}, \frac{20}{24}, \frac{21}{24}$$

합이 가장 큰 식: 📝 $\frac{7}{8} + \frac{5}{6} = 1\frac{17}{24}$ 📋 $1\frac{17}{24}$

합이 가장 작은 식: 📝 $\frac{1}{3} + \frac{1}{2} = \frac{5}{6}$ 📋 $\frac{5}{6}$

차가 가장 큰 식: 📝 $\frac{7}{8} - \frac{1}{3} = \frac{13}{24}$ 📋 $\frac{13}{24}$

차가 가장 작은 식: 📝 $\frac{7}{8} - \frac{5}{6} = \frac{1}{24}$ 📋 $\frac{1}{24}$

6 빈칸에 알맞은 수를 쓰세요. (단, 기약분수로 나타내고, 가분수는 대분수로 나타냅니다.)

$$\boxed{\frac{2}{7}} \xrightarrow{+\frac{5}{28}} \boxed{\frac{13}{28}}$$

$$\boxed{\frac{1}{2}} \xrightarrow{+\frac{3}{9}} \boxed{\frac{15}{18}}$$

$$\boxed{\frac{15}{16}} \xrightarrow{-\frac{3}{4}} \boxed{\frac{3}{16}}$$

$$\boxed{1\frac{1}{6}} \xrightarrow{-\frac{3}{10}} \boxed{\frac{13}{15}}$$

7 수 카드 3장 중에서 2장을 사용하여 만들 수 있는 가장 큰 진분수와 가장 작은 진분수의 합과 차를 구하세요. (단, 계산 결과는 기약분수로 나타내고, 가분수는 대분수로 나타냅니다.)

$$\boxed{3 \quad 9 \quad 8}$$

두 분수의 합: $\frac{8}{9} + \frac{3}{9} = 1\frac{2}{9}$

두 분수의 차: $\frac{8}{9} - \frac{3}{9} = \frac{5}{9}$

$$\boxed{8 \quad 12 \quad 7}$$

두 분수의 합: $\frac{7}{8} + \frac{7}{12} = 1\frac{11}{24}$

두 분수의 차: $\frac{7}{8} - \frac{7}{12} = \frac{7}{24}$

8 아이스크림을 만드는 데 필요한 우유는 $\frac{5}{6}$ 컵, 쿠키를 만드는 데 필요한 우유는 $\frac{7}{9}$ 컵입니다.

아이스크림과 쿠키를 모두 만드는 데 필요한 우유의 양은 몇 컵일까요? (단, 계산 결과는 기약분수로 나타내고, 가분수는 대분수로 나타냅니다.)

📝 $\frac{5}{6} + \frac{7}{9} = \frac{29}{18} = 1\frac{11}{18}$ 📋 $1\frac{11}{18}$ 컵

아이스크림을 만드는 데 필요한 우유의 양은 쿠키를 만드는 데 필요한 우유의 양보다 얼만큼 더 많을까요? (단, 계산 결과는 기약분수로 나타냅니다.)

📝 $\frac{5}{6} - \frac{7}{9} = \frac{1}{18}$ 📋 $\frac{1}{18}$ 컵

분수의 덧셈과 뺄셈 (2)

66·67쪽

397 대분수의 덧셈과 뺄셈 (1)

대분수의 덧셈과 뺄셈을 알아봅시다.

$2\frac{2}{3}+1\frac{1}{4}$

$=2\frac{8}{12}+1\frac{3}{12}$

$=(2+1)+(\frac{8}{12}+\frac{3}{12})$

$=3\frac{11}{12}$

$3\frac{5}{6}-1\frac{3}{4}$

$=3\frac{10}{12}-1\frac{9}{12}$

$=(3-1)+(\frac{10}{12}-\frac{9}{12})$

$=2\frac{1}{12}$

자연수는 자연수끼리, 분수는 분수끼리 계산합니다.

$1\frac{3}{8}+3\frac{1}{2}$

$=1\frac{3}{8}+3\frac{4}{8}$

$=(1+3)+(\frac{3}{8}+\frac{4}{8})$

$=4\frac{7}{8}$

$3\frac{1}{2}-2\frac{1}{3}$

$=3\frac{3}{6}-2\frac{2}{6}$

$=(3-2)+(\frac{3}{6}-\frac{2}{6})$

$=1\frac{1}{6}$

$1\frac{2}{11}+\frac{1}{3}=1\frac{17}{33}$

$7\frac{2}{3}-\frac{1}{4}=7\frac{5}{12}$

$1\frac{1}{6}+\frac{3}{8}=1\frac{13}{24}$

$5\frac{2}{5}-\frac{2}{7}=5\frac{4}{35}$

$2\frac{2}{3}+3\frac{1}{4}=5\frac{11}{12}$

$4\frac{3}{4}-2\frac{3}{8}=2\frac{3}{8}$

$4\frac{3}{5}+2\frac{3}{10}=6\frac{9}{10}$

$3\frac{5}{6}-2\frac{1}{3}=1\frac{1}{2}$

$6\frac{2}{5}+2\frac{1}{3}=8\frac{11}{15}$

$4\frac{5}{6}-1\frac{1}{9}=3\frac{13}{18}$

$2\frac{4}{9}+3\frac{1}{6}=5\frac{11}{18}$

$5\frac{3}{4}-2\frac{1}{6}=3\frac{7}{12}$

68·69쪽

응용연산

1 계산 결과의 크기를 비교하여 ○에 >, =, <를 알맞게 넣으세요.

$4\frac{4}{7}+2\frac{2}{9}$ ⟶ $6\frac{44}{63}$ ⟶ $>$ ⟶ 6

$9\frac{8}{9}-5\frac{2}{7}$ ⟶ $4\frac{38}{63}$ ⟶ $<$ ⟶ 5

$3\frac{2}{5}+1\frac{3}{10}$ ⟶ $4\frac{7}{10}$ ⟶ $>$ ⟶ $4\frac{3}{5}$ ⟶ $4\frac{6}{10}$

$7\frac{5}{6}-3\frac{1}{3}$ ⟶ $4\frac{1}{2}$ ⟶ $=$ ⟶ $4\frac{1}{2}$

2 □안에 알맞은 분수를 쓰세요.

$6\frac{3}{7}+1\frac{1}{4}=7\frac{19}{28}$

$7\frac{19}{28}-1\frac{1}{4}=6\frac{12}{28}=6\frac{3}{7}$

$8\frac{7}{8}-7\frac{5}{6}=1\frac{1}{24}$

$8\frac{7}{8}-1\frac{1}{24}=7\frac{20}{24}=7\frac{5}{6}$

3 6개의 분수가 있습니다. 가장 큰 분수와 가장 작은 분수의 합과 차를 각각 구하세요.

| $4\frac{1}{2}$ | $3\frac{1}{12}$ | $4\frac{3}{4}$ | $3\frac{1}{6}$ | $4\frac{2}{3}$ | $3\frac{17}{24}$ |

합: $7\frac{5}{6}$, 차: $1\frac{2}{3}$

합: $4\frac{3}{4}+3\frac{1}{12}=7\frac{10}{12}=7\frac{5}{6}$. 차: $4\frac{3}{4}-3\frac{1}{12}=1\frac{8}{12}=1\frac{2}{3}$

4 다음은 두 대분수를 가분수로 고쳐 합과 차를 구한 것입니다. 같은 방법으로 두 대분수를 가분수로 고쳐 합과 차를 구하세요.

⑦ $3\frac{5}{6}+1\frac{1}{4}=\frac{23}{6}+\frac{5}{4}=\frac{46}{12}+\frac{15}{12}=\frac{61}{12}=5\frac{1}{12}$

⑭ $3\frac{5}{6}-1\frac{1}{4}=\frac{23}{6}-\frac{5}{4}=\frac{46}{12}-\frac{15}{12}=\frac{31}{12}=2\frac{7}{12}$

⑭ $4\frac{4}{5}+1\frac{1}{2}=\frac{24}{5}+\frac{3}{2}=\frac{48}{10}+\frac{15}{10}=\frac{63}{10}=6\frac{3}{10}$

⑭ $4\frac{4}{5}-1\frac{1}{2}=\frac{24}{5}-\frac{3}{2}=\frac{48}{10}-\frac{15}{10}=\frac{33}{10}=3\frac{3}{10}$

5 미술 시간에 찰흙으로 만들기를 합니다. 찰흙을 지수는 $4\frac{5}{8}$ kg 사용하였고, 민주는 $3\frac{1}{4}$ kg 사용하였습니다.

지수와 민주가 사용한 찰흙은 모두 몇 kg일까요?

식 $4\frac{5}{8}+3\frac{1}{4}=7\frac{7}{8}$ 답 $7\frac{7}{8}$ kg

지수는 민주보다 찰흙을 몇 kg 더 사용하였을까요?

식 $4\frac{5}{8}-3\frac{1}{4}=1\frac{3}{8}$ 답 $1\frac{3}{8}$ kg

2일 398 자연수와 대분수의 덧셈과 뺄셈

자연수와 대분수의 덧셈과 뺄셈을 알아봅시다.

$$3\frac{1}{3}+2=\boxed{3}+\frac{1}{3}+2$$
$$=\boxed{5}+\frac{\boxed{1}}{3}$$
$$=\boxed{5}\frac{\boxed{1}}{3}$$

자연수와 대분수의 덧셈은
자연수끼리 더한 후 분수를 더합니다.

$$5-2\frac{1}{3}=4+\frac{\boxed{3}}{3}-2\frac{1}{3}$$
$$=(4-2)+\left(\frac{\boxed{3}}{3}-\frac{\boxed{1}}{3}\right)$$
$$=\boxed{2}\frac{\boxed{2}}{3}$$

자연수에서 분수를 뺄 때에는
자연수의 1 만큼을 가분수로 바꾸어 계산합니다.

$$5\frac{5}{9}+3=\boxed{5}+\frac{5}{9}+3$$
$$=\boxed{8}+\frac{\boxed{5}}{9}$$
$$=\boxed{8}\frac{\boxed{5}}{9}$$

$$6\frac{2}{7}-4=\boxed{6}+\frac{2}{7}-4$$
$$=\boxed{2}+\frac{\boxed{2}}{7}$$
$$=\boxed{2}\frac{\boxed{2}}{7}$$

$$7+2\frac{7}{8}=7+\boxed{2}+\frac{7}{8}$$
$$=\boxed{9}+\frac{\boxed{7}}{8}$$
$$=\boxed{9}\frac{\boxed{7}}{8}$$

$$9-5\frac{1}{4}=8+\frac{\boxed{4}}{4}-5\frac{3}{4}$$
$$=(8-5)+\left(\frac{\boxed{4}}{4}-\frac{3}{4}\right)$$
$$=\boxed{3}\frac{\boxed{1}}{4}$$

$$1\frac{6}{7}+8=9\frac{6}{7}$$

$$5\frac{5}{9}-3=2\frac{5}{9}$$

$$4\frac{5}{9}+3=7\frac{5}{9}$$

$$9\frac{7}{9}-6=3\frac{7}{9}$$

$$6+1\frac{2}{3}=7\frac{2}{3}$$

$$7-6\frac{2}{5}=\frac{3}{5}$$

$$3+3\frac{5}{8}=6\frac{5}{8}$$

$$5-1\frac{7}{8}=3\frac{1}{8}$$

$$5+4\frac{6}{7}=9\frac{6}{7}$$

$$8-3\frac{4}{9}=4\frac{5}{9}$$

$$2+8\frac{9}{10}=10\frac{9}{10}$$

$$6-2\frac{6}{11}=3\frac{5}{11}$$

응용연산

1 분수와 자연수의 덧셈과 뺄셈을 하여 빈칸에 알맞은 수를 쓰세요.

+5

$1\frac{1}{2}$	$6\frac{1}{2}$
$3\frac{5}{9}$	$8\frac{5}{9}$
$4\frac{8}{11}$	$9\frac{8}{11}$

$-1\frac{4}{9}$

2	$\frac{5}{9}$
5	$3\frac{5}{9}$
10	$8\frac{5}{9}$

2 다음과 같이 주어진 수를 한 번씩 모두 사용하여 계산 결과가 가장 큰 (자연수) − (대분수)의 식을 만들고 계산하세요.

7 5 9 2 $9-2\frac{5}{7}=6\frac{2}{7}$

3 10 1 8 $10-1\frac{3}{8}=8\frac{5}{8}$

7 6 2 8 $8-2\frac{6}{7}=5\frac{1}{7}$

3 분수와 자연수의 덧셈과 뺄셈을 하여 빈칸에 알맞은 수를 쓰세요.

+	$6\frac{1}{2}$	$3\frac{5}{7}$
2	$8\frac{1}{2}$	$5\frac{5}{7}$
5	$11\frac{1}{2}$	$8\frac{5}{7}$

−	$2\frac{1}{3}$	$4\frac{2}{5}$
6	$3\frac{2}{3}$	$1\frac{3}{5}$
9	$6\frac{2}{3}$	$4\frac{3}{5}$

4 자연수 7에 어떤 분수를 더해야 할 것을 잘못하여 뺐더니 $5\frac{3}{7}$ 이 되었습니다. 바르게 계산하면 얼마일까요?

잘못된 식: 식 $7-\boxed{}=5\frac{3}{7}$

어떤 수: $1\frac{4}{7}$

바르게 계산하기: 식 $7+1\frac{4}{7}=8\frac{4}{7}$

답 $8\frac{4}{7}$

5 물통에 물이 5 L 들어 있었습니다. 이 중 $2\frac{1}{6}$ L를 사용하였습니다. 남은 물은 몇 L일까요?

식 $5-2\frac{1}{6}=2\frac{5}{6}$ 답 $2\frac{5}{6}$ L

399 대분수의 덧셈과 뺄셈 (2)

개념원리

대분수의 덧셈과 뺄셈을 알아봅시다.

$3\dfrac{4}{5}+2\dfrac{1}{2}$

$=3\dfrac{\boxed{8}}{10}+2\dfrac{\boxed{5}}{10}$

$=(3+2)+\left(\dfrac{\boxed{8}}{10}+\dfrac{\boxed{5}}{10}\right)$

$=5\dfrac{\boxed{13}}{10}=6\dfrac{\boxed{3}}{10}$

$4\dfrac{3}{10}-1\dfrac{3}{5}$

$=4\dfrac{\boxed{3}}{10}-1\dfrac{\boxed{6}}{10}$

$=3\dfrac{\boxed{13}}{10}-1\dfrac{\boxed{6}}{10}$

$=(3-1)+\left(\dfrac{\boxed{13}}{10}-\dfrac{\boxed{6}}{10}\right)$

$=2\dfrac{\boxed{7}}{10}$

대분수끼리의 덧셈에서 계산한 결과 값의 분수 부분이 1보다 크면 자연수에 1을 더해 주고 진분수로 만듭니다.

분수 부분끼리 뺄 수 없을 때에는 빼지는 분수의 자연수에서 1만큼을 가분수로 바꿉니다.

$1\dfrac{3}{7}+3\dfrac{2}{3}$

$=1\dfrac{\boxed{9}}{21}+3\dfrac{\boxed{14}}{21}$

$=(1+3)+\left(\dfrac{\boxed{9}}{21}+\dfrac{\boxed{14}}{21}\right)$

$=4\dfrac{\boxed{23}}{21}=5\dfrac{\boxed{2}}{21}$

$5\dfrac{1}{2}-2\dfrac{5}{7}$

$=5\dfrac{\boxed{7}}{14}-2\dfrac{\boxed{10}}{14}$

$=4\dfrac{\boxed{21}}{14}-2\dfrac{\boxed{10}}{14}$

$=(4-2)+\left(\dfrac{\boxed{21}}{14}-\dfrac{\boxed{10}}{14}\right)$

$=2\dfrac{\boxed{11}}{14}$

$1\dfrac{4}{9}+\dfrac{3}{4}=2\dfrac{7}{36}$

$1\dfrac{4}{9}-\dfrac{3}{4}=\dfrac{25}{36}$

$1\dfrac{1}{2}+\dfrac{7}{8}=2\dfrac{3}{8}$

$1\dfrac{1}{2}-\dfrac{7}{8}=\dfrac{5}{8}$

$1\dfrac{1}{4}+3\dfrac{5}{6}=5\dfrac{1}{12}$

$8\dfrac{3}{5}-5\dfrac{9}{10}=2\dfrac{7}{10}$

$1\dfrac{8}{10}+3\dfrac{13}{15}=5\dfrac{2}{3}$

$4\dfrac{1}{4}-2\dfrac{2}{3}=1\dfrac{7}{12}$

$2\dfrac{11}{15}+1\dfrac{1}{3}=4\dfrac{1}{15}$

$5\dfrac{1}{2}-1\dfrac{3}{4}=3\dfrac{3}{4}$

$6\dfrac{1}{2}+2\dfrac{4}{5}=9\dfrac{3}{10}$

$6\dfrac{2}{7}-3\dfrac{7}{8}=2\dfrac{23}{56}$

응용연산

1 계산 결과의 크기를 비교하여 ○ 안에 >, =, <를 알맞게 넣으세요.

$3\dfrac{5}{9}+1\dfrac{2}{3} \;\bigcirc\!=\; 2\dfrac{8}{9}+2\dfrac{1}{3}$

$1\dfrac{5}{14}+5\dfrac{6}{7} \;\bigcirc\!<\; 10\dfrac{2}{7}-2\dfrac{7}{14}$

$5\dfrac{2}{6}$ $5\dfrac{2}{9}$ $7\dfrac{3}{14}$ $7\dfrac{11}{14}$

$1\dfrac{13}{15}+3\dfrac{7}{10} \;\bigcirc\!>\; 9\dfrac{5}{2}-4\dfrac{1}{9}$

$7\dfrac{1}{6}+\dfrac{14}{4}-4\dfrac{4}{4} \;\bigcirc\!=\; 5\dfrac{4}{1}-2\dfrac{14}{6}$

$5\dfrac{17}{30}$ $4\dfrac{1}{2}$ $2\dfrac{5}{12}$ $2\dfrac{5}{6}$

2 □ 안에 알맞은 분수를 쓰세요.

$\boxed{3\dfrac{5}{9}}+5\dfrac{5}{6}=9\dfrac{7}{18}$

$7\dfrac{3}{8}-\boxed{4\dfrac{11}{12}}=2\dfrac{11}{24}$

$9\dfrac{7}{18}-5\dfrac{5}{6}=3\dfrac{10}{18}=3\dfrac{5}{9}$

$7\dfrac{3}{8}-2\dfrac{11}{24}=4\dfrac{22}{24}=4\dfrac{11}{12}$

3 다음 수 카드를 한 장씩 모두 사용하여 만들 수 있는 가장 큰 대분수와 가장 작은 대분수를 쓰고, 두 대분수의 합과 차를 구하세요.

$\boxed{6}\ \boxed{2}\ \boxed{5}$

가장 큰 대분수: $6\dfrac{2}{5}$

가장 작은 대분수: $2\dfrac{5}{6}$

두 분수의 합: $9\dfrac{7}{30}$

두 분수의 차: $3\dfrac{17}{30}$

$\boxed{8}\ \boxed{5}\ \boxed{3}$

가장 큰 대분수: $8\dfrac{3}{5}$

가장 작은 대분수: $3\dfrac{5}{8}$

두 분수의 합: $12\dfrac{9}{40}$

두 분수의 차: $4\dfrac{39}{40}$

4 다음과 같이 2가지 방법으로 계산을 하세요.

방법1 자연수는 자연수끼리, 분수는 분수끼리 계산합니다.

$3\dfrac{1}{4}-1\dfrac{1}{3}=3\dfrac{3}{12}-1\dfrac{4}{12}=2\dfrac{15}{12}-1\dfrac{4}{12}=1\dfrac{11}{12}$

방법2 대분수를 가분수로 고쳐서 계산합니다.

$3\dfrac{1}{4}-1\dfrac{1}{3}=\dfrac{13}{4}-\dfrac{4}{3}=\dfrac{39}{12}-\dfrac{16}{12}=\dfrac{23}{12}=1\dfrac{11}{12}$

방법1 $3\dfrac{2}{5}-1\dfrac{2}{3}=\;3\dfrac{6}{15}-1\dfrac{10}{15}=2\dfrac{21}{15}-1\dfrac{10}{15}=1\dfrac{11}{15}$

방법2 $3\dfrac{2}{5}-1\dfrac{2}{3}=\;\dfrac{17}{5}-\dfrac{5}{3}=\dfrac{51}{15}-\dfrac{25}{15}=\dfrac{26}{15}=1\dfrac{11}{15}$

5 색 테이프를 두 도막으로 잘랐더니 한 도막은 $3\dfrac{3}{4}$ m이고, 다른 한 도막은 $1\dfrac{5}{6}$ m입니다.

색 테이프를 자르기 전의 길이는 몇 m일까요?

식 $3\dfrac{3}{4}+1\dfrac{5}{6}=5\dfrac{7}{12}$ 답 $5\dfrac{7}{12}$ m

긴 도막은 짧은 도막보다 몇 m 더 길까요?

식 $3\dfrac{3}{4}-1\dfrac{5}{6}=1\dfrac{11}{12}$ 답 $1\dfrac{11}{12}$ m

78·79쪽 — 4일 400 C · 세 분수의 덧셈과 뺄셈

세 분수의 덧셈과 뺄셈을 알아봅시다.

$$5\frac{1}{4}-1\frac{11}{12}+2\frac{1}{6}=5\frac{3}{12}-1\frac{11}{12}+2\frac{2}{12}$$
$$=4\frac{15}{12}-1\frac{11}{12}+2\frac{2}{12}$$
$$=(4-1+2)+\left(\frac{15}{12}-\frac{11}{12}+\frac{2}{12}\right)=5\frac{1}{2}$$

통분하여 분모를 같게 한 후 자연수는 자연수끼리, 분수는 분수끼리 계산합니다.
분수 부분끼리 뺄 수 없을 때에는 빼지는 분수의 자연수에서 1만큼을 가분수로 바꿉니다.

$$8\frac{3}{4}-2\frac{5}{6}-1\frac{2}{3}=8\frac{9}{12}-2\frac{10}{12}-1\frac{8}{12}$$
$$=7\frac{21}{12}-2\frac{10}{12}-1\frac{8}{12}$$
$$=(7-2-1)+\left(\frac{21}{12}-\frac{10}{12}-\frac{8}{12}\right)=4\frac{1}{4}$$

$$4\frac{1}{2}+7\frac{1}{4}-3\frac{7}{8}=4\frac{4}{8}+7\frac{2}{8}-3\frac{7}{8}$$
$$=4\frac{4}{8}+6\frac{10}{8}-3\frac{7}{8}$$
$$=(4+6-3)+\left(\frac{4}{8}+\frac{10}{8}-\frac{7}{8}\right)=7\frac{7}{8}$$

$$4\frac{1}{6}+\frac{3}{8}+1\frac{5}{12}=5\frac{23}{24}$$
$$4\frac{4}{9}+3+1\frac{2}{3}=9\frac{1}{9}$$
$$2\frac{5}{6}+1\frac{3}{4}+2\frac{1}{3}=6\frac{11}{12}$$
$$7+3\frac{1}{2}-5\frac{4}{5}=4\frac{7}{10}$$
$$5\frac{7}{8}+\frac{3}{4}-3\frac{1}{2}=3\frac{1}{8}$$
$$3\frac{4}{5}+2\frac{1}{3}-1\frac{1}{6}=4\frac{29}{30}$$
$$9\frac{1}{15}-5+1\frac{8}{9}=5\frac{43}{45}$$
$$4\frac{2}{5}-2\frac{3}{4}+1\frac{1}{10}=2\frac{3}{4}$$
$$10\frac{1}{2}-2\frac{9}{10}+1\frac{7}{20}=8\frac{19}{20}$$
$$3\frac{7}{9}-\frac{4}{5}-1\frac{11}{15}=1\frac{11}{45}$$
$$5\frac{7}{8}-1\frac{1}{6}-2\frac{5}{12}=2\frac{7}{24}$$
$$8\frac{1}{3}-3\frac{1}{3}-2\frac{1}{6}=2\frac{5}{6}$$

80·81쪽 — 응용연산

1 빈칸에 알맞은 분수를 쓰세요.

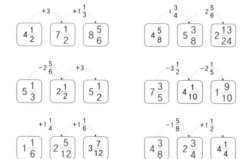

$4\frac{1}{2}$ —(+3)→ $7\frac{1}{2}$ —(+$1\frac{1}{3}$)→ $8\frac{5}{6}$

$4\frac{5}{8}$ —(+$\frac{3}{4}$)→ $5\frac{3}{8}$ —(−$2\frac{5}{6}$)→ $2\frac{13}{24}$

$5\frac{1}{3}$ —(−$2\frac{5}{6}$)→ $2\frac{1}{2}$ —(+3)→ $5\frac{1}{2}$

$7\frac{1}{2}$ —(−$3\frac{2}{5}$)→ $4\frac{1}{10}$ —(−$2\frac{1}{5}$)→ $1\frac{9}{10}$

$1\frac{1}{6}$ —(+$1\frac{1}{4}$)→ $2\frac{5}{12}$ —(+$1\frac{1}{6}$)→ $3\frac{7}{12}$

$4\frac{3}{8}$ —(−$1\frac{5}{8}$)→ $2\frac{3}{4}$ —(+$1\frac{1}{2}$)→ $4\frac{1}{4}$

2 13 L의 수조에 $5\frac{4}{9}$ L의 물이 들어 있습니다. 이 수조에 $3\frac{1}{6}$ L의 물을 더 부으면 몇 L의 물을 더 부을 수 있을까요?

식 $13-5\frac{4}{9}-3\frac{1}{6}=4\frac{7}{18}$
답 $4\frac{7}{18}$ L

3 다음과 같이 2가지 방법으로 계산을 하세요.

방법1 세 분수를 한 번에 통분하여 계산합니다.
$$3\frac{1}{4}+2\frac{1}{2}-1\frac{1}{3}=3\frac{3}{12}+2\frac{6}{12}-1\frac{4}{12}$$
$$=(3+2-1)+\left(\frac{3}{12}+\frac{6}{12}-\frac{4}{12}\right)=4\frac{5}{12}$$

방법2 앞의 두 분수를 계산하고, 그 결과값과 남은 분수를 계산합니다.
$$3\frac{1}{4}+2\frac{1}{2}-1\frac{1}{3}=\left(3\frac{1}{4}+2\frac{2}{4}\right)-1\frac{1}{3}$$
$$=5\frac{3}{4}-1\frac{1}{3}=5\frac{9}{12}-1\frac{4}{12}=4\frac{5}{12}$$

방법1 $5\frac{5}{6}-3\frac{2}{3}+4\frac{7}{9}=5\frac{15}{18}-3\frac{12}{18}+4\frac{14}{18}=6\frac{17}{18}$

방법2 $5\frac{5}{6}-3\frac{2}{3}+4\frac{7}{9}=\left(5\frac{5}{6}-3\frac{4}{6}\right)+4\frac{7}{9}=2\frac{1}{6}+4\frac{7}{9}=6\frac{17}{18}$

4 길이가 각각 $8\frac{5}{6}$ cm, $5\frac{1}{3}$ cm인 두 리본을 겹쳐서 이어 붙였습니다. 이어 붙인 길이가 $10\frac{4}{9}$ cm일 때, 겹쳐진 부분의 길이는 몇 cm일까요?

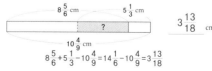

$3\frac{13}{18}$ cm

$$8\frac{5}{6}+5\frac{1}{3}-10\frac{4}{9}=14\frac{1}{6}-10\frac{4}{9}=3\frac{13}{18}$$

형성평가

1 □안에 알맞은 분수를 쓰세요.

$$3\frac{2}{15}+2\frac{3}{5}=5\frac{11}{15}$$

$$6\frac{8}{21}-2\frac{5}{21}=4\frac{1}{7}$$

2 자연수 5에 어떤 분수를 빼야 할 것을 잘못하여 더하였더니 $7\frac{5}{9}$가 되었습니다. 바르게 계산하면 얼마일까요?

잘못된 식: (식) $5+\square=7\frac{5}{9}$

어떤 수: $2\frac{5}{9}$

바르게 계산하기: (식) $5-2\frac{5}{9}=2\frac{4}{9}$

(답) $2\frac{4}{9}$

3 다음과 같이 주어진 수를 한 번씩 모두 사용하여 계산 결과가 가장 큰 (자연수) − (대분수)의 식을 만들고 계산하세요.

2 5 6 4

$6-2\frac{4}{5}=3\frac{1}{5}$

5 9 3 7

$9-3\frac{5}{7}=5\frac{2}{7}$

4 계산 결과의 크기를 비교하여 ○안에 >, =, <를 알맞게 넣으세요.

$2\frac{3}{5}+1\frac{7}{15}$ > $7\frac{2}{9}-3\frac{1}{3}$

$4\frac{1}{15}$ $3\frac{8}{9}$

$9\frac{3}{8}-2\frac{3}{4}$ > $2\frac{1}{2}+3\frac{7}{8}$

$6\frac{5}{8}$ $6\frac{3}{8}$

5 2가지 방법으로 계산을 하세요.

방법1 자연수는 자연수끼리, 분수는 분수끼리 계산합니다.

$$3\frac{1}{3}-1\frac{3}{4}=(2-1)+\left(\frac{4}{3}-\frac{3}{4}\right)=1+\frac{7}{12}=1\frac{7}{12}$$

방법2 대분수를 가분수로 고쳐서 계산합니다.

$$3\frac{1}{3}-1\frac{3}{4}=\frac{10}{3}-\frac{7}{4}=\frac{40}{12}-\frac{21}{12}=\frac{19}{12}=1\frac{7}{12}$$

6 다음 수 카드를 한 장씩 모두 사용하여 만들 수 있는 가장 큰 대분수와 가장 작은 대분수를 쓰고, 두 대분수의 합과 차를 구하세요.

8 7 3

가장 큰 대분수: $8\frac{3}{7}$ 가장 작은 대분수: $3\frac{7}{8}$

두 분수의 합: $12\frac{17}{56}$ 두 분수의 차: $4\frac{31}{56}$

7 빈칸에 알맞은 수를 쓰세요.

$4\frac{2}{7}$ $\xrightarrow{+2}$ $6\frac{2}{7}$ $\xrightarrow{-3\frac{9}{14}}$ $2\frac{9}{14}$

6 $\xrightarrow{-2\frac{1}{3}}$ $3\frac{2}{3}$ $\xrightarrow{+1\frac{3}{4}}$ $5\frac{5}{12}$

8 미술 시간에 지혜는 리본 $5\frac{4}{9}$ m를 사용하였고, 소영이는 $2\frac{5}{6}$ m를 사용하였습니다.

지혜와 소영이가 사용한 리본은 모두 몇 m일까요?

(식) $5\frac{4}{9}+2\frac{5}{6}=8\frac{5}{18}$

(답) $8\frac{5}{18}$ m

지혜는 소영이보다 리본을 몇 m 더 사용하였을까요?

(식) $5\frac{4}{9}-2\frac{5}{6}=2\frac{11}{18}$

(답) $2\frac{11}{18}$ m

9 할머니께서 매실 주스를 5 L 담아 오셨습니다. 상현이가 $1\frac{1}{6}$ L, 혜연이가 $1\frac{3}{10}$ L를 마셨다면 남은 매실 주스는 몇 L일까요?

(식) $5-1\frac{1}{6}-1\frac{3}{10}=2\frac{8}{15}$

(답) $2\frac{8}{15}$ L

"

Numbers rule the universe.

"

"수가 우주를 지배한다"

Pythagoras, 피타고라스